海外漢文古醫籍精選叢書·第三輯

2011—2020年國家古籍整理出版規劃項目
2018年度國家古籍整理出版專項經費資助項目
中國中醫科學院「十三五」第一批重點領域科研項目
——我國與「一帶一路」九國醫藥交流史研究（ZZ10-011-1）

蕭永芝◎主編

國史醫言鈔

〔日〕吉田維通 纂輯

28

北京科学技术出版社

圖書在版編目（CIP）數據

國史醫言鈔/蕭永芝主編．—北京：北京科學技術出版社，2019.1
（海外漢文古醫籍精選叢書．第三輯）
ISBN 978－7－5714－0010－1

Ⅰ．①國…　Ⅱ．①蕭…　Ⅲ．①醫學史—史料—日本　Ⅳ．①R-093.13

中國版本圖書館 CIP 數據核字（2018）第293334號

海外漢文古醫籍精選叢書·第三輯·國史醫言鈔

主　　編：蕭永芝
策劃編輯：李兆弟　侍　偉
責任編輯：吕　艷　周　珊
責任印製：李　茗
出 版 人：曾慶宇
出版發行：北京科學技術出版社
社　　址：北京西直門南大街16號
郵政編碼：100035
電話傳真：0086-10-66135495（總編室）
0086-10-66113227（發行部）　0086-10-66161952（發行部傳真）
電子信箱：bjkj@bjkjpress.com
網　　址：www.bkydw.cn
經　　銷：新華書店
印　　刷：北京虎彩文化傳播有限公司
開　　本：787mm×1092mm　1/16
字　　數：168千字
印　　張：14
版　　次：2019年1月第1版
印　　次：2019年1月第1次印刷
ISBN 978－7－5714－0010－1/R·2565

定　　價：**380.00元**

海外漢文古醫籍精選叢書·第三輯

國史醫言鈔

〔日〕吉田維通　纂輯

内容提要

《國史醫言鈔》，又名《醫言鈔》，屬醫史類著作。此書纂輯日本重要文史書籍和中國佛經中的醫學史料，全書基本以史實爲依據，記録日本平安時代初期以前的醫事制度及醫療情況，對研究日本傳統醫學的起源和發展、中國唐代醫學在日本的傳播與影響、佛醫學對日本傳統醫學的影響等均有所裨益。

一 作者與成書

《國史醫言鈔》扉葉題「安藝吉田先生著」，第一、三兩卷的書名、卷次之下均題「安藝/吉田維通憲德/纂輯」，據此可知此書的作者是吉田維通（憲德）。

吉田維通，生卒年不詳。據本書卷首阪井華「序」中言：「憲德世住高宫，醫治之行甲一郡。」小石龍題「醫言鈔序」載：「憲德姓吉田，安藝人。」綜合兩條信息可知，憲德姓吉田，名維通，其字爲憲德，日本安藝國人，世代居住於高宫，以醫爲業，名甲一方。安藝國是日本古代的令制國之一，治所在今廣島縣西部，高宫下屬於安藝國。

吉田維通博學多聞，對醫學、經史百家、佛乘釋典多有涉獵。阪井華「序」中稱：吉田維通「於醫書無所不讀，旁至儒籍，及國乘釋典，亦皆涉獵焉。而其間有於涉醫事者，輒采録爲數大册，名曰《醫言鈔》，其意蓋亦欲使彼此相益而内外相資耳」。小石龍「醫言鈔序」云：「我邦上古醫法散佚，百無一二矣，而憲德悉拾其影迹於國史中；漢土醫籍，汗牛充棟矣，而憲德尤抄其遺義於經史百家；悉曇醫術，一無所傳矣，而憲德又拔其端緒於一《大藏經》。今已滿篋，名曰《醫言鈔》。」

據日本《國書總目録》第三卷記載，《國史醫言鈔》的成書年代爲「文政八自序」，❶則此書應撰成於文政八年（一八二五），書中亦當有作者吉田維通自序，但筆者目前所收集到的後世版本和資料均未見有文政八年作者自序。

《國史醫言鈔》卷首第一篇序由阪井華撰寫。阪井華（一七九八—一八五〇），字公實，號卧虎山人，通稱百太郎，畢生致力於對經書的研究，博采衆家之長，深得當時的學界贊賞。阪井華之序落款未題撰寫年代，文中言：「今兹乙未之夏，憲德將先梓其抄於國乘釋典者，囑序於余。」在阪井華生存期間的乙未年爲天保六年（一八三五），故阪井華之序當撰於此年。

此書第二篇序「醫言鈔序」，天保五年甲午（一八三四）由小石龍題於究理堂。

綜合兩篇序言所載，《國史醫言鈔》最遲當成書於天保六年（一八三五）。

---

❶〔日〕國書研究室．國書總目録：第三卷［M］．東京：岩波書店，一九七七：三七四．

二 主要内容

《國史醫言鈔》四卷，所輯録的醫學史料主要來自於日本古代史書和中國的佛經，由醫家吉田維通采録《古事記》、「六國史」和《大藏經》中的醫學相關史料編成。

《古事記》，上、中、下三卷，用漢文撰寫，成書於和銅五年（七一二），是日本現存最早的文學作品，記録從日本建國神話到推古女皇時代的神話、傳説、歌謡、歷史故事等，屬於野史小説類的文學作品，學術界對其中的史料真實性存有疑議。

「六國史」是日本奈良時代（七一〇—七九四）、平安時代（七九四—一一九二）由朝廷組織編撰的六部國史書籍，依次爲：《日本書紀》（七二〇）、《續日本紀》（七九七）、《日本後紀》（八四〇）、《續日本後紀》（八六九）、《日本文德天皇實録》（八七九）、《日本三代實録》（九〇一），以上六部日本史書合稱爲「六國史」，均用漢文撰寫，記録了西元八八七年以前的日本史實和人物，皆仿照中國史書的編撰形式，采用編年體的體例撰述，屬於日本正史。

《大藏經》是佛教禪宗經典的總集，内容廣博宏富，涉及文、史、哲、醫等各個方面，其中的醫藥學知識也相當豐富。

《國史醫言鈔》卷一首先摘録《古事記》中因幡之兔的傳説，講述一隻全身無毛的兔子（裸兔），因浴海鹽，風吹皮裂，痛苦不堪。大穴牟遅神指示它：「今往此水門，以水洗汝身，即取其水門之蒲黄敷散而輾轉其上者，汝身如本膚必瘥。」兔子照做之後，全身恢復如初。文後有吉田維通對蒲黄的考證，用日文寫就。這段故事雖爲傳説，但考查歷代本草著作，蒲黄專入血分，有止血、活血、生肌之力，外用可以治療創傷，與此傳説中蒲黄的效用相符。第二部分内容采録自《日本書紀》中神代至持統天皇（？—六九七）時期的醫學相關史料。第三部分内容選録自《續日本紀》，輯録文武天皇至桓武天皇十一年（六九七—七九一）的醫學史料。

卷二輯録《日本後紀》桓武天皇十二年至淳和天皇（七九二—八三三）、《續日本後紀》仁明天皇（八三三—八五〇）、《日本文德天皇實録》文德天皇（八五〇—八五八）以及《日本三代實録》清和天皇、陽成天皇、光孝天皇時期（八五八—八八七）的醫學史料。

卷三摘録《大藏經》中《佛説柰女耆域因緣經》全文，記述柰女與其子耆域的前世因緣，以及耆域高超的醫術和行醫治病的故事。耆域又叫耆婆，被尊爲佛陀醫學中的醫王和大醫師，亦爲兒科妙手神醫。耆婆醫方在唐・孫思邈《備急千金要方》和《千金翼方》中已有專門記載。

卷四收載《大藏經》中《囉嚩拏説救療小兒疾病經》《迦葉仙人説醫女人經》《佛説療痔病經》全文以及《金光明最勝王經》中與醫藥相關的内容。《囉嚩拏説救療小兒疾病經》，主要論述小兒科疾病；《迦葉仙人説醫女人經》，詳細記述婦女妊娠與保胎；《佛説療痔病經》，專門論述痔疾的治療。

三　特色與價值

《國史醫言鈔》將《古事記》、「六國史」和《大藏經》中的醫學史料分卷纂輯。其中，卷一、卷二收録西元八八七年以前日本文學作品和系列正史中的醫學史料，涉及時間多數在奈良時代及以前、平安時代初期，大致相當於中國的唐代。卷三、卷四摘録《大藏經》中的醫學相關文獻。

卷一第一部分是《古事記》所載因幡之兔用洗浴加蒲黄敷身治療皮膚病的傳説，以及吉田維通對蒲黄的考證。這反映了奈良時代以前日本早期的醫藥學狀况，帶有濃厚的神話色彩，需要理性對待。同時，今人也可以從中瞭解當時人們對疾病和藥物的認識。

第二部分内容輯録自《日本書紀》中神話部分和人皇部分的醫學史料。神話部分包括「神代上」和「神代下」，是關於生命誕生和形骸名目的神話傳説，涉及大己貴命、少彦名命等日本醫藥神話傳説中的重要人物和醫療事迹，反映出日本古代治療疾病的方法論和疾病認識觀。例如，卷一載：「夫大己貴命與少彦名命戮力一心，經營天下，復爲顯見蒼生及畜産，則定其療病之方；又爲攘鳥獸昆蟲之灾，則定其禁厭之法。是以百姓至今咸蒙恩賴。」大己貴命、少彦名命被稱爲日本醫學之祖，相當於中國的神農、黄帝。以上文獻反映了日本上古醫學在治療疾病時方藥與禁厭兼用的史實。

此卷人皇部分内容從崇神天皇至持統天皇時期（公元前九七—六九七），内容主要涉及醫療活動、醫事制度（醫官制度和機構設置）、疾病、習俗、醫藥交流等。人皇部分記載的醫療活動，涉及生命、孕産、外科等多方面。此期設置的醫學職官有醫博士、易博士、曆博士，醫藥相關機構有大學寮、陰陽寮、外藥寮。出現的疾病名有疫病、瘡、白癩。與醫藥相關的習俗，如推古天皇「十九年夏五月五日，藥獵於兔田野，取鷄鳴時集於藤原池上，以會明乃往之」；舒明天皇時期（六二九—六四一）已經有温湯，即温泉。在醫藥交流方面，如推古天皇十九年（六一一），「大唐學問者僧惠齊、惠光及醫惠日、福因等，并從智洗爾等來之」，記載前往大唐學習的藥師惠日等僧人返回日本的史實；天武天皇十一年（六八二），「遣百濟僧優婆塞益直金鐘於美濃，令煎白术」，反映了當時日本與大唐、百濟的醫學交流情況，僧醫在當時具有較高的地位；通過《日本書紀》所載奈良時代以前的醫學史料，反映出此期隋唐醫學傳入日本。因此，這部分醫學史料對於考證日本醫學的起源、唐代醫學的傳播及影響等，均有較高的史料價值。

第三部分内容記録《續日本紀》中奈良時代文武天皇至桓武天皇十一年（六九七—七九一）的醫學史事，主要包括醫事制度、佛醫、藥物、疫病等。

醫事制度主要有醫學機構設置和醫官制度。聖武天皇天平二年（七三〇），日本始設施藥院，用以施藥療養天下饑病之人。天平寶字四年（七六〇），又置悲田院，亦用於救濟饑人病患。此外，還有雅藥寮、陰陽寮、典藥寮等機構。元正天皇養老六年（七二二），始設女醫博士。此期其他醫學職官還有史生、博士、醫師、内藥官、典藥生、講經生等。講經生主要講授《太素》《甲乙經》《脉經》《本草》《素問》《針經》《明堂》《脉訣》等中國醫藥著作。

在奈良時代，佛醫開始盛行。元正天皇養老元年（七一七），詔僧尼依佛道，持神咒，救病徒，施湯藥，療痼疾；養老五年（七二一），因沙門法蓮精通醫術，救治民苦，故天皇親賜宇佐姓。聖武天皇天平七年（七三五），府大寺及別國諸寺讀《金剛般若經》，并加湯藥救濟疫民。孝謙天皇天平勝寶八年（七五六），因禪師法榮醫術甚高，敕其「持醫藥」。天平寶字七年（七六三）五月，鑒真大和尚與弟子二十四人被安置供養於東大寺，奉敕校正經論，辨别藥物真僞，天皇授予大僧正。

卷一藥物方面的内容較少，僅從文武天皇、元明天皇時期（六九七—七一五）可知，日本各諸侯國出産和進獻的藥物主要有牛黄、白礬石、朱砂、雄黄、真朱、硫磺、磁石、雲母石、白石英等。

卷二第一部分是《日本後紀》中的醫學史料，記録平安朝桓武天皇十二年至淳和天皇時期（七九二—八三三）的醫學史事。這部分内容主要是醫學職官的設置和官員任命，如桓武天皇十六年（七九六）始置典藥寮史生、造酒生；平城天皇大同三年（八〇八），敕令安倍真直、出雲廣貞等編撰《大同類聚方》一百卷；嵯峨天皇弘仁十一年（八二〇），朝廷置針生，令讀《新修本草經》《明堂經》《劉涓子鬼遺方》等并給予月料供養；淳和天皇天長元年（八二四），置施藥院使司、使判官、主典醫師；在其他各個時期，還分别任命了典藥頭、典藥允等。

第二部分采録《續日本後紀》中記述仁明天皇時期（八三三—八五〇）的醫學史料。主要爲醫官制度和醫事政令，涉及的日本歷史名醫有菅原梶吉、當麻鴨繼等。在疾病治療和養生方面，記載了三則醫案：第一，菅原清常服名藥以致容顔不衰；第二，仁明天皇自述生病和服藥經歷，先後得腹結、頭風、胸病，服七氣丸、紫菀生薑湯，後百藥不效，繼而服金液丹和白石英取得效驗；第三，畸形連體胎兒的出生，即茂麻吕妻川俣縣造藤繼女生男，胎兒同體雙頭雙上肢，出生一日便夭亡。此外，還有少數條文涉及疫病、佛醫等。

第三部分醫學史料取自《日本文德天皇實録》，記録了日本文德天皇時期（八五〇—八五八）的史事。所記録的醫學史料主要涉及醫官制度、藥物、疾病和養生。在醫學職官方面，主要有内藥正、典藥頭、典藥助、醫師等的任命，以及梶成隨遣唐使渡海返回日本，途中遇險且救濟衆人，被朝廷封爲針博士的經歷。所載藥物有可令人長壽的甘露。在疾病和養生方面，有疫病疱瘡的流行、幸豐樂院以覽青馬助陽氣等。

第四部分輯録「六國史」最後一部《日本三代實録》中發生在平安時代的醫學史事。主要内容包括醫學機構、醫官制度、醫學人物、藥物、疾病、佛教等。清和天皇貞觀元年（八五九），日本設崇親院安置無居宅者，置延命院救治有病患者。醫學職官主要有針博士、醫師、侍醫等。載録日本古代著名醫家物部廣泉、大神庸主、出雲廣貞的生平及醫學成就。在藥物方面，清和天皇貞觀元年（八五九），詔遣典藥頭出雲岑嗣采集石鐘乳。記載的疾病有赤痢、咳逆、腹脹、畸胎等。如貞觀三年（八六一）八月，赤痢流行，十歲以下男女兒童感染此疾多亡；貞觀五年（八六三）冬末至一月，京城及畿内外多患咳逆，死者甚衆；仁和元年（八八五），某人妻産女無臀，數日即死。佛教醫學内容記録較少，有貞觀十六年（八七四），針博士下道朝臣門繼篤信佛教，常着袈裟誦佛經之事。

綜上所述，《國史醫言鈔》前兩卷彙集日本古代文史書中豐富的醫學史料，反映了奈良、平安時代的日本醫學發展面貌和疾病認識、治療觀等。全書後兩卷爲佛經中的醫學内容，結合前兩卷散在的佛醫相關史料可知，奈良時代以前，佛教已經傳入日本；至奈良時代，佛醫學已在該國盛行，其醫學深受佛教的影響。

四　版本情况

《國史醫言鈔》初刊於天保七年（一八三六），現存版本較多，流傳較廣，主要有：天保七年（一八三六）刻本，現藏於日本慶應義塾大學圖書館富士川文庫；嘉永元年（一八四八）刻本，今藏於日本國立國會圖書館支部靜嘉堂文庫，中山久四郎私人有藏；嘉永五年（一八五二）刻本，藏於日本國立國會圖書館、國立國會圖書館白井文庫、國會圖書館支部靜嘉堂文庫、東京國立博物館、慶應義塾大學圖書館富士川文庫、東京大學圖書館、東京大學圖書館鶚軒文庫、東洋大學圖書館、大阪府立圖書館石崎文庫、西尾市立圖書館岩瀨文庫、船橋市立圖書館、杏雨書屋、乾乾齋文庫、神宫文庫、住吉文庫、御茶之水圖書館成簣堂文庫、無窮會神習文庫；刊年不明刻本，藏於東洋大學圖書館哲學堂、市立刈谷圖書館。❶

本次影印采用的底本，爲日本國立國會圖書館白井文庫所藏嘉永五年（一八五二）刻本。此本藏書號「特1—671」，分爲四卷四册，四眼裝幀。各册封皮題寫書名與册數，如「國史醫言鈔　一」「國史醫言鈔　二」等。扉葉題署著者、書名及刻書機構，即「安藝吉田先生著／國史醫言鈔／五書房合梓」。卷一之首有天保六年（一八三五）阪井華所撰「序」、天保五年甲午（一八三四）小石龍題、門人加賀端貫寫「醫言鈔序」。卷一、卷三正文首葉各署書名、卷次，下有著者姓名；卷二、卷四正文首葉僅署書名、卷次。全書四周單邊，烏絲欄。正文每半葉十行，行二十字。版心上單黑魚尾，上部刻書名「醫言鈔」，下部刻葉次。正文漢字旁有小字日文送假名及語序返點符號。卷四之末刊刻牌記鐫有刻書時間和出書機構名稱、地址，即「天保六年閏七月御免／嘉永五年八月刻成／發行書肆／皇都……」。

---

❶ 〔日〕國書研究室：國書總目録：第三卷［M］．東京：岩波書店，一九七七：三七四．

綜上所述，吉田維通輯録日本主要史書和中國佛經中的醫學史料，著成《國史醫言鈔》四卷，涉及日本平安時代及以前的醫療活動、醫事制度、疾病治療、生命、胎産、藥物、養生等諸多方面，内容豐富多彩，客觀反映出日本早期的醫學狀况、對唐代醫學的模仿與吸收、佛醫學在日本的盛行等歷史。此書以特定的歷史背景爲基礎，可與醫學文獻相互補充，爲研究中醫學、佛醫學在日本的傳承發展、中日醫學疾病認識的异同等提供史學資料，可供醫史研究者和其他史學研究者借鑒參考。

何慧玲　蕭永芝

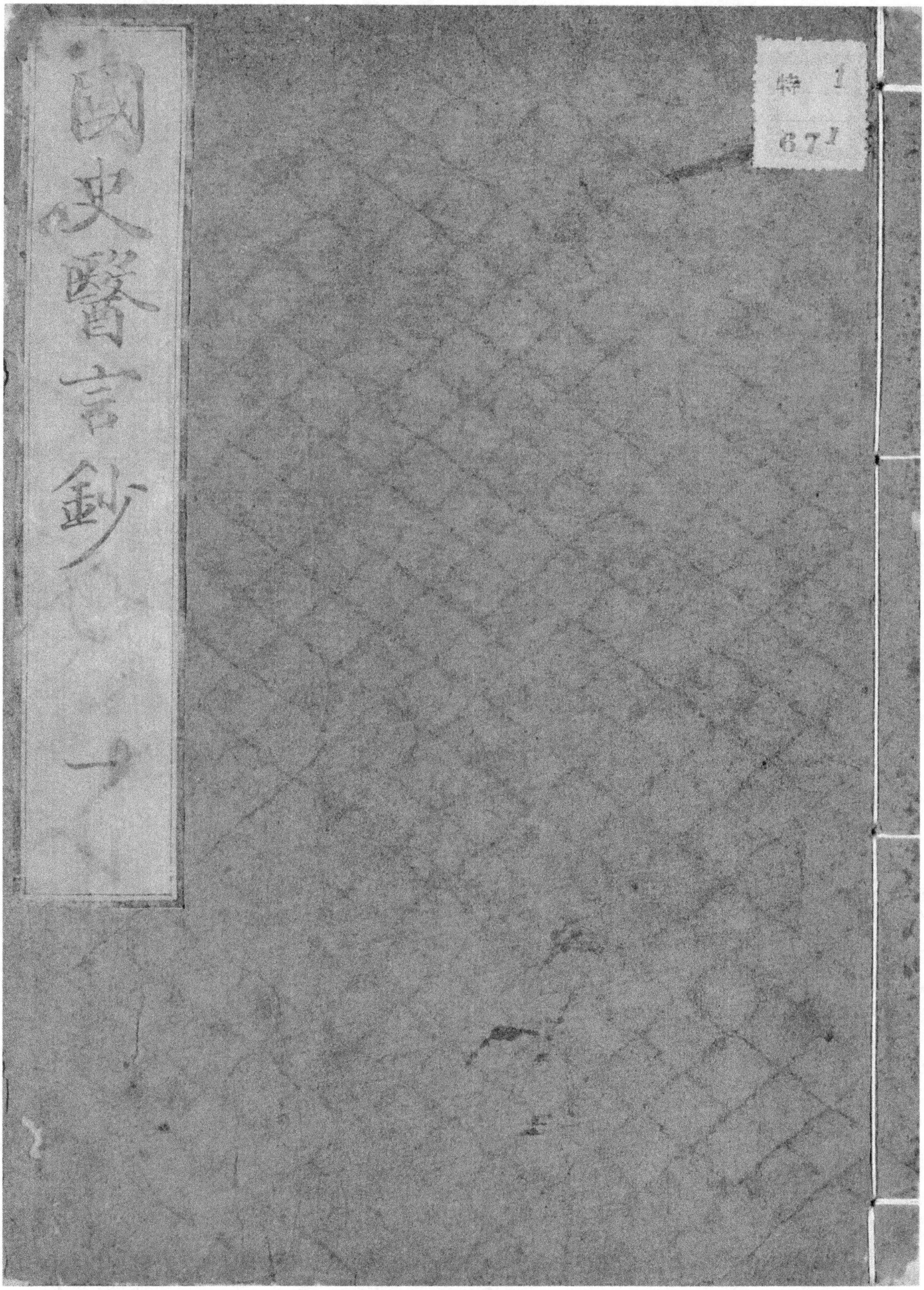
國史醫言鈔 一
特 1
67 1

安藝吉田先生著

國史醫言鈔

五書房合梓

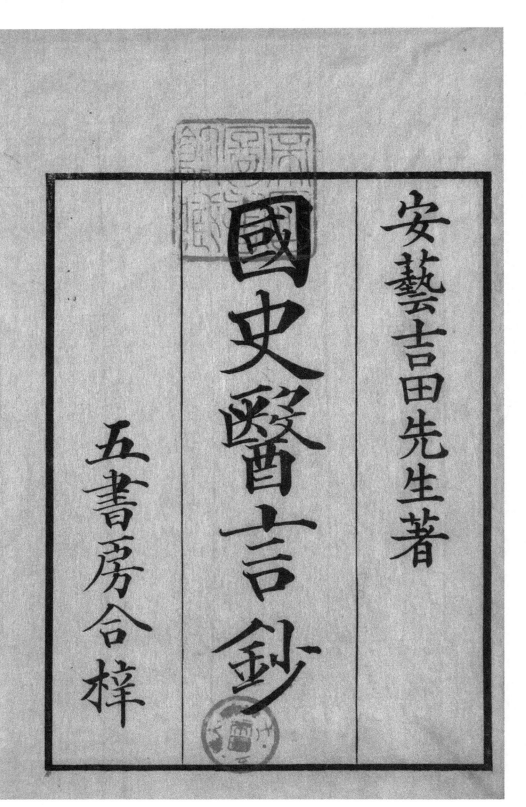

序

余儒者也不喜神釋諸子之道而好覧其書以爲取於彼可以益乎此觀於外可以資乎内詩曰他山之石可以攻玉世儒以神釋爲異端諸子爲不足言舉其書而高閣焉曰四子五経吾道足矣自餘群籍皆玩物矣夫不覧其書而議其道斥於彼者既不中病而信於我者亦豈真得也哉且通群籍纔可以讀五經通五經纔可以讀四子要之其才小而志卑力不能博取特

假美言文其固陋耳余常笑之而雖世醫亦然少知調劑不復事讀書曰學醫拙於刀匕矣是以漢醫訕蘭以迂怪而非嘗讀西洋之文也蘭醫嘲漢以淺劣而非嘗涉中土之書也而况他籍乎學醫固有拙於刀匕者使之不學將益拙也不學之醫亦有巧於刀匕者使之學將益巧也何則才力所及刀匕與書籍一矣余又常笑其固陋而族人吉田憲德則不然憲德世仕高宮醫治之行甲一郡其於醫書無所不讀旁至

儒籍及國乘釋典亦皆涉獵焉而其間有于涉醫事者輒采錄為數大册名曰醫言抄其意盖亦欲使彼此相益而内外相資耳今茲乙未之夏憲德將先梓其抄於國乘釋典者囑序於余余儒者也不知此書之果有益醫治否然余獨有感焉我輩業儒日夜從事書册而志業所期十不酬一憲德乃務醫治而能究群籍又能著作成其所志非才力有餘而與世異流豈能如此乎此舉也不獨可以砭世醫亦可以警世儒

矣。孟子曰：博學而詳說，將以反說約也。又曰：深造之以道，欲其自得也。我嘗歎秦漢以來書籍益多，學術益開，而真儒益少矣。無他，徒能通其書，而不能得其道也。醫之無良，亦由于此。然則不得於道，而務於博通，恐使固陋之徒，反笑於我輩，安可不戒而勉乎。嗟呼！憲德未老，我則方壯，於是乎慨然而序。

安藝　阪井華撰

醫言抄序

我邦上古醫法。散佚百無一二矣。而憲德悉拾其影跡於國史中。漢土醫藉。汗牛充棟矣。而憲德猶抄其遺義於經史百家。悉彙醫術。一無所傳矣。而憲德又拔其端緒於一大藏經。今已滿篋。名曰醫言抄。憲德於醫。實可謂勤矣。憲德姓吉田。安藝人。千里齎來。謀余刪定。此舉吾先人亦有志。未果而逝。余身羸才乏。未克繼述先志。今忽得此託。心甚喜。乃爲校之。因慫慂令刻而公于世焉。或曰。醫之爲術。攻之於顓門之書。猶不易得其奥。而今求之於異籍。恐招迂遠之嘲。子乃有所取而然乎。余曰。然。凡脩藝術者。先要溯其淵源。而知作者之用意。况於醫之仁術乎。若夫大巳貴命。取水門之蒲黄。療溺皃之剥脱。何等妙用。耆婆。謂面一由旬所見草木一切物無非藥者。何等神通。今觀二聖者之事與言。合契於絶海。闡微於千古。而後世無祖述者何也。且夫三國之醫祖。皆以王者。嘗荼毒。近汚穢。自忘萬乘之尊。而憂億兆之病。其仁何如也。世降政頽。漸委之大臣。逾降賤為工技。委之士庶。又

降至今日。王者仁民之術。化爲詐僞奸徒欺世射利之具。上古精義。絶無克繼焉者。非職由于此乎。吾輩雖賤民。一讀此書。豈可不知上聖垂教之心而興起哉。是吾先人之志。而所以慫慂憲德也。或人懃而退。先是吉益東洞。有古書醫言之著。盖取于漢土經史諸子者。施行已久。憲德乃先刻我邦及悉曇部若干卷。及刻成書所對或人。以爲之序。天保甲午夏日小石龍謹題于究理堂

門人　加賀端貫拜書

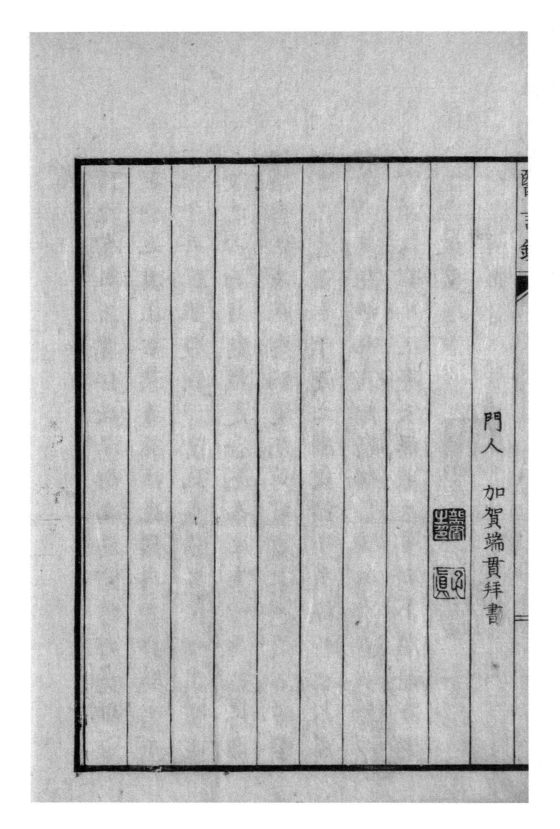

國史醫言鈔巻之一　古事記

安藝　吉田維通憲德　纂輯

大國主神亦名謂大穴牟遲神亦名謂葦原色許男神亦名謂八千矛神亦名謂宇都志國玉神并有五名故此大國主神之兄弟八十神坐然皆國者避於大國主神所以避者其八十神各有欲婚稻羽之八上比賣之心共行稻羽時於大穴牟遲神負帒爲從者率往於是到氣多之前時裸菟伏也爾八十神謂其菟云汝將爲者浴此海鹽當風吹而伏高山尾上故其菟從八十神之教而伏爾其鹽隨乾其身皮悉

風見吹折故痛苦泣伏者最後之來大宂牟遲神見
其菟言何由汝泣伏菟答言僕在淤岐嶋雖欲度此
地無度因故欺海和邇言吾與汝競欲計族之多少
故汝者隨其族在悉率來自此嶋至于氣多前皆列
伏度爾吾蹈其上走乍讀度於是知與吾族孰多如
此言者見欺而列伏之時吾蹈其上讀度來今將下
地時吾云汝者我見欺言竟即伏最端和邇捕我悉
剥我衣服因此泣患者先行八十神之命以誨告浴
海鹽當風伏故爲如教者我身悉傷於是大宂牟遲
神教告其菟今急往此水門以水洗汝身即取其水

門之蒲黃敷散而輾轉其上者汝身如本膚必差故爲如教其身如本也此稻羽之素菟者也於今者謂菟神也故其菟白大穴牟遲神此八十神者必不得八上比賣雖負帒汝命獲之於是八上比賣答八十神言吾者不聞汝等之言將嫁大穴牟遲神故爾八十神怒欲殺大穴牟遲神共議而至伯伎國之手間山本云赤猪在此山故和禮共追下者汝待取若不待取者必將殺汝云而以火燒似猪大石而轉落爾追下取時即於其石所燒著而死爾其御祖命哭患而參上于天請神產巢日之命時乃遣𧏛貝比賣與

蛤貝比賣令作活爾蟄貝比賣岐佐宜集而蛤貝比
賣持水而塗母乳汁者成麗壯夫而出遊行
本居氏古事記傳云蒲黄和名鈔に唐韻云蒲黄
草ノ名似蘭可以為席也和名加末陶隱居本草ノ注
云蒲黄ハ蒲ノ花ノ上黄者也和名加末乃波奈蒲黄は
花ノ上の黄粉なるを直に波奈とも云ふハ此方に
てハ別に黄粉の名ハ無くて其をも花とも云ふ
なるべし さて漢籍にも蒲黄ハもはら治血治
瘡薬とあるハ本此神の靈に頼て上ツ代より去
りおこりしものなり○今ノ人ハ加と濁りて賀麻
といへど凡て頭を濁る言無し今も蒲生なども云
地ノ名などハ清ると以て古とおもふべし○靈異記
に膚ハ加波辺字鏡に肌ハ膚也加波戸和名抄に肌ハ
膚肉也和名加波倍などあれども加波陀ち云
ふこそ古言に多かれバ然訓べし和名抄に膚
體肌也和名波多なり本ノ膚をハ見ニ吹拆ぬる
り差合ふみなれば皮も毛も本トの如くに成ると
云なり○此薬方の物に見えたるは始なり○蟄

貝比賣蛬ハ蚶と蛬やを作るを誤まれるのなり
新井氏の東雅ノ蚶ノ條よ此段と引て蚶貝姫やと云
蛬も蛬と蚶ノ誤やと定めらはそのなるをしされ
バ佐佐賀比やと訓ぜし和名抄よ唐韻云蚶ハ蚌ノ属
状如ノ蛤圓而厚外ニ有ノ理縦ー横即今蚶也。辨色立成
云和名木佐やなるこれ本草よ魁蛤やかりて
今阿加々比やと云物なり。出羽ノ國なんきたかくや
やと云地名ともに延喜式ふ蚶ー方や書て○蛤貝比
賣ハ。宇牟岐比賣やと訓ぜし其故ハ書紀よ景行
天皇東ノ國と巡幸し賜し時そこの海乃白蛤と膾
よ作て奉りしやと見ゆ此と宇牟岐やと訓り。さ
て和名抄よハ蚌蛤一名含漿和名波万久理海
蛤、和名宇無木乃加比、文蛤和名伊太夜加比やと
分ケて出されやと蛤やと云ハ波万具理の類乃介
蟲やの惣名ふて右の三ノ漢名ハ彼ノ國よてもて
互よ混て詳よハ分らされバ此方よても古への人
の心々よ當らふなれハ必しも右のまゝれ
定むべきふもあらぬ右の三ッ乃和名の中ふ宇
牟岐ぞ蛤の古名なる餘の二ッハ其中よて後よ
分ケたる名かるゆ故ニ名のさらも宇牟岐ハ古く餘

のニッハやゝ後なり字鏡にも蚌埰蚴なとの字
といへるも宇牟岐と記して餘の二ッ名ハ凡て
見えざれバ本ハ凡て宇牟岐と云しとやゝ
後に其中にて小きと濱栗といひ大なるを本
のまゝに呼び好なるを板屋貝とも云へりせう
板屋貝とは其文の板屋根の甍目に似たる故
の名なるべし、はて又後にハつひに宇牟岐て
ふ名ハ亡（ウセ）て大小凡て波万具理と云なりけり
はて右の二ッ比賣ハ即蚶貝と蛤貝と云なり
さるをと此賣と云ふは雉と鳴女と云と魚ノ名にと
赤女口女鯛女なぞ皆女の冠に云ふ凡ての例
とも次きけとぞ此ハ多く女と云次して比賣
と云ふハ今の瑳（ミガク）と美稱て神とせる名なるを○
岐佐宜ハ研（キサ）し削てなり志良と切て佐と云と下
れ志と省（ハブ）り又氣豆理と宜とせしみ云例ハ從（シタガ）ミ
削と由宜と云是なり、今世に言ふ物と許曾宜
流と云ハ此ノ伎佐宜の訛れるにて意ハ同し○
集ハ師の考に焦ノ字に誤なりとなるとまうれ許
賀志と訓れし蚌貝の其殼と研（スリ）磨けおきりて燒
焦してなりけて今如此して瑳とるせるに因

て此貝れ名と伎佐やハ負るなりされバ此言
や相照して螯ハ蚶なることや思ひ定むべし○
持水而凡て蛤貝の中よハ水と含みもちる物
なり蚌蛤一名含漿や漢籍よいるとも思ふべし
し○母ハ乳母と云なり、凡て於母や云ハ親母
よまき乳母よまき兒よ乳と飲ませむる人の称
なをハ親母やせむも違ハ次の乳汁二字ハ多
ゞ知やのみも訓法きよ似されやそやハ出法
處の名ふて出ふ汁の名よハ非次然る字との
汁とも知やれみ云ハやく後よ略けるなりけ
て此の方ハまさ世間よ常ふ萬乃儀ふ母の乳
汁と塗て愈後方いふ故よ今蛤貝の水と其如
くよ塗やと云意なり故知志流登やと訓法ふやハ
云なりうおを物語俊蔭巻よ紅葉れ雫と乳ふ
さやなきおしよりふ係よ云云やいる登よ同
しとハ彼蚶貝の䭈粉と蛤の水以てやきて母
乳汁と塗如くふ塗しありけて宇牟岐てふ名
ハ母貝の約てするふてけるを宇牟岐の貝や
云ハ後の重言なりて今かく母乳汁の如く塗て
功とおせしふ因て負るなり

○維遁案ニ此ハ蚌貝の焦粉を蛤貝の水や母乳やとをて相調和して塗といふなり然るに母乳汁と塗る如くや譬へ言しものなりと思へれハ恐らくハ誤なるらん

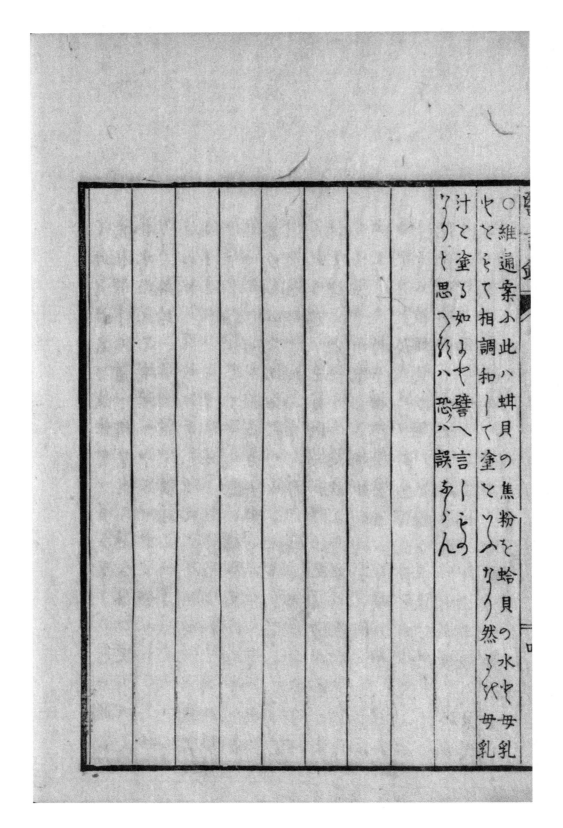

醫言鈔 日本書紀

神代上曰陽神問陰神曰汝身有何成耶對曰吾身有一雌元之處陽神曰吾身亦有雄元之處思欲以吾身元處合汝身之元處於是陰陽始遘合為夫婦及至產時先以淡路洲為胞意所不快故名之曰淡路洲廼生大日本日本此云耶麻騰豐秋津洲次生伊豫二名洲次生筑紫洲次雙生隱岐洲與佐度洲世人或有雙生者象此也

又曰一書曰日月既生次生蛭兒此兒年滿三歲脚尚不立

又曰伊弉冊尊且生火神軻遇突智之時悶熱懊惱
因為吐此化為神名曰金山彦次小便化為神名曰
罔象女次大便化為神名曰埴山媛
又曰所謂泉津平坂者不復別有處所但臨死氣絶
之際是之謂歟
又曰伊弉諾尊乃向大樹放屁（屁此云愈磨理音乃弔反）
又曰伊弉諾尊欲見其妹乃到殯斂之處是時伊弉
冊尊猶如生平出迎共語已而謂伊弉諾尊曰吾夫
君尊請勿視吾矣言訖忽然不見于時闇也伊弉諾
尊乃擧一片之火而視之時伊弉冊尊脹滿太高上

有八色雷公伊弉諾尊驚而走還是時雷等皆起追
來時道邊有大桃樹故伊弉諾尊隱其樹下因採其
實以擲雷者雷等皆退走矣此用桃避鬼之緣也時
伊弉諾尊乃投其杖曰自此以還雷不敢來是謂岐
神此本號曰來名戸之祖神焉所謂八雷者在首曰
大雷在胸曰火雷在腹曰土雷在背曰稚雷在尻曰
黑雷在手曰山雷在足上曰野雷在陰上曰裂雷
又曰是時保食神實已死矣唯有其神之頂化爲牛
馬顱上生粟眉上生蠶眼中生稗
又曰便以八坂瓊之五百箇御統纏其髻鬘及腕又

背負千箭之韜與五百箭之勒臂著稜威之高鞆振
起弓彇急握劍柄蹈堅庭而陷股若沫雪以蹴散
又曰含嬰頸之瓊著於左臂中
又曰已而科罪於素戔嗚尊而責其祓具是以有手
端吉棄物足端凶棄物亦以唾為白和幣以洟為青
和幣
又曰以手爪為吉爪棄物以足爪為凶爪棄物乃使
天兒屋命掌其解除之大諄辭而宣之焉
維通云右數條多係形骸名目者亦醫家不可不
知故撰入于冊中下多此例

又曰大國主神亦名大物主神亦號國作大己貴命亦曰葦原醜男亦曰八千戈神亦曰大國玉神亦曰顯國玉神其子凡有一百八十一神夫大己貴命與少彦名命戮力一心經營天下復爲顯見蒼生及畜産則定其療病之方又爲攘鳥獸昆虫之災異則定其禁厭之法是以百姓至今咸蒙恩頼鹽土傳云療病之方醫術也禁厭之法呪祝祓除之事也恩頼謂利澤及人也平安五條天神傳云齋少彦名命至今季冬節分有供未之祭

又曰于時神光照海忽然有浮來者曰如吾不在者汝何能平此國乎由吾在故汝得建其大造之績矣

是時大巳貴神問曰然則汝是誰耶對曰吾是汝之幸魂奇魂也大巳貴神曰唯然幸魂此云佐枳弥多摩奇魂此云倶斯美多摩

鹽土傳云幸魂奇魂者一魂兩化之名先臨而知之謂幸魂精思而得之謂奇魂即天之所以命我而爲一身之主者也

神代下曰有一神居天八達之衢其鼻長七咫背長七尺餘當言七尋且口尻明耀眼如八咫鏡而赫然似赤酸醬也維通案醬疑漿誤

又曰天津彦火瓊瓊杵尊遊幸海濱見一美人皇孫問曰汝是誰之子耶對曰妾是大山祇神之子名神吾田鹿葦津姬亦名木花開耶姬因白亦吾姉磐長

姬在皇孫曰吾欲以汝爲妻如之何對曰妾父大山祇神在請以垂問皇孫因謂大山祇神曰吾見汝之女子欲以爲妻於是大山祇神乃使二女持百机飮食奉進時皇孫謂姉爲醜不御而罷妹有國色引而幸之則一夜有身故磐長姬大慙而詛之曰假使天孫不斥妾而御者生兒永壽有如磐石之常存今旣不然唯弟獨見御故其生兒必如木華之移落此世人短折之緣也

又曰初火燄明時生兒火明命次火炎盛時生兒火進命又曰火酸芹命次避火炎時生兒火折彥火火

出見尊凡此三子火不能害及母亦無所少損時以竹刀截其兒臍其所棄竹刀終成竹林故號彼地曰竹屋○纂疏曰方書云臍帶餘六寸許以絲固結以銅刀截之或用竹刀○山槐記曰治承二年十一月十二日御產奉切御臍緒先御產成了即差少屬資忠遣切生氣方河竹即持參亮重衛朝臣取之參御前作竹刀只一削作刀方不再云洞院局以練絲奉結御臍刀奉切之置御帖紙於手上置御臍緒○塵添壒囊鈔曰以竹刀斷臍帶事據風土記說皇祖裒能忍者命從薩摩國贈駝郡竹屋村聘土人竹屋守女生二男子產時取此地竹作刀斷臍帶其竹今尚在焉

又曰豐玉姬從容語曰妾已有身矣當以風濤壯日出到海邊請為我造產屋以待之是後豐玉姬果如其言來至謂火火出見尊曰妾今夜當產請勿臨之

維通案今猶禁産時令其夫窺臨之亦據此乎火火出見尊不聽猶以櫛燃火視之時豐玉姫化爲八尋大熊鰐匍匐逶蛇遂以見辱爲恨則徑歸海鄉留其女弟玉依姫持養兒焉所以兒名稱彥波瀲武鸕鷀草葺不合尊者以彼海濱産屋全用鸕鷀羽爲草葺之而甍未合時兒即生焉故因以名焉鹽土傳云留玉依姫持養兒世因稱乳母曰米乃止言妻妹也鸕鷀不卵生口生其雛以此鳥羽葺産室祝其易産之義訓曰宇布屋亦以此也

崇神天皇記曰五年國內多疾疫民有死亡者且大半矣通證曰倭名鈔曰疫衣夜美一云度岐乃介蓋以音爲訓也一名時氣也

又曰其卒怖走屎漏于褌乃脫甲而逃之

垂仁天皇紀曰御間城天皇（崇神）之世額有角人乘一船泊于越國笥飯浦故號其處曰角鹿也問之曰何國人也對曰意富加羅國王之子名都怒我阿羅斯等

又曰譽津別王是生年既三十髯鬚八掬猶泣如兒常不言何由矣

又曰昔丹波國桑田村有人名曰甕襲則甕襲家有犬名曰足往是犬咋山獸名牟士那而殺之則獸腹有八尺瓊句玉因以獻之是玉今有（維通案疑在誤）有石上神宮（通證曰蓋狗寶之類也李時珍曰牛之黃狗之寶馬之墨鹿之玉犀之通天獸之鮓答皆物之

病而人以爲寶人稟於物
而猶不免此病況物乎

景行天皇紀曰大碓皇子小碓尊一日同胞而雙生
小碓尊亦名日本童男（童男此云烏具奈）亦曰日本武尊幼
有雄略之氣及壯容貌魁偉身長一丈
又曰日本武尊進入信濃食於山中山神令苦王以
化白鹿立於王前王異之以一箇蒜彈白鹿則中眼
而殺之先是度信濃坂者多得神氣以瘼臥但從殺
白鹿之後踰是山者嚼蒜塗人及牛馬自不中神氣
也
又曰時山神之興雲零氷峯霧谷曀無復可行之路

乃棲遑不知其所跋涉然淩霧強行方僅得出猶失意如醉因居山下之泉側乃飲其水而醒之故號其泉曰居醒泉

神功皇后紀曰皇后欲西征新羅于時也適當皇后之開胎皇后則取石插腰而祈之曰事竟還日產於茲土其石今在于伊都縣道邊集解曰萬葉集曰筑前國怡土郡深江村子負原臨海丘上有二石大者長一尺二寸六分圍一尺八寸六分重十八斤五兩小者長一尺一寸圍一尺八寸重十六斤十兩並皆隨圓狀如鷄子其美好者不可勝論所謂徑石壁是也或云此二石者肥前國彼杵郡平敷之石當占而取之去深江驛家二十許里近在路頭公私往來莫不下馬跪拜古老相傳曰往者息長足日女命征討新羅國之時用茲兩石插著御袖之中以爲鎮懷所以行人敬拜此石右

事傳言那珂郡伊知郷簑嶋人建部牛麻呂是也○
筑前名寄曰近世有人盗二石去今則無之○通證
云筑紫風土記曰俗間婦人忽
然娠動裙腰挿石厭令延時
應神天皇紀曰初天皇在孕而天神地祇授三韓既
産之宍生腕上其形如鞆是肖皇太后為雄裝之負
鞆肖此云阿叡故稱其名謂譽田天皇上古時俗号鞆謂褒武多焉
仁德天皇紀曰秋七月天皇與皇后居高臺而避暑
時每夜自免餓野有聞鹿音其聲寥亮而悲之共起
可憐之情及月盡以鹿鳴不聆爰天皇語皇后曰當
是夕而鹿不鳴其何由焉明日猪名縣佐伯部獻苞
苴天皇令膳夫以問曰其苞苴何物也對言牡鹿也

問之何處鹿也曰兎餓野時天皇以為是苞苴者必
其鳴鹿也因謂皇后曰朕比有懷抱聞鹿聲而慰之
今推佐伯部獲鹿之日夜及山野卽當鳴鹿其人雖
不知朕之愛以適逢獮獲猶不得已而有恨故佐伯
部不欲近於皇居乃令有司移鄉于安藝停田此今
渟田佐伯部之祖也
又曰是歲額田大中彥皇子獵于鬪雞時皇子自山
上望之瞻野中有物其形如廬仍遣使者令見還來
之曰窟也因喚鬪雞稻置大山主問之曰有其野中
者何窟矣啓之曰氷室也皇子曰其藏如何亦奚用

焉曰掘土丈餘以草蓋其上敦敷茅荻取氷以置其上既經夏月而不泮其由之卽當熱月漬水酒以用也皇子則將來其氷獻于御所天皇歡之自是以後每當季冬必藏氷至春分始散氷也

又曰飛驒國有一人曰宿儺其爲人壹體有兩面面各相背頂合無項各有手足其有膝而無膕踵 百錬鈔曰二條天皇永萬元年近衞河原有異兒胸已上二人體也頭二手四令諸道勘申例

又曰是歲於吉備中國川嶋河派有大虬令苦人時路人觸其處而行必被其毒以多死亡

允恭天皇紀曰三年春正月辛酉朔遣使求良醫於

新羅秋八月醫至自新羅則令治天皇病未經幾時病已差也天皇歡之厚賞醫以歸于國通證云古事記曰新羅國主貢進御調八十一艘爾御調之大使名曰金波鎮漢紀武此人深知藥方故治差帝皇之病今按金姓武名波鎮漢紀爵号神功記作波珍干岐

又曰天皇獵于淡路嶋時麋鹿猿猪莫莫紛紛盈于山谷焱起蠅散然終日以不獲一獸於是獵止以更卜矣嶋神祟之曰不得獸者是我之心也赤石海底有真珠其珠祠於我則悉當得獸爰更集處處之白水郎以令探赤石海底海深不能至底唯有一海人曰男狹磯是阿波國長邑之海人也勝於諸海人是

腰繫縄入海底差頃之出曰於海底有大蝮（維通按恐鰒誤下皆做之）其處光也諸人皆曰嶋神所請之珠殆有（維通案有恐在誤）是蝮腹乎亦入探之爰男狹磯抱大蝮而泛出之乃息絶以死浪上既而下縄測海底六十尋則割蝮實眞珠有腹中其大如桃子乃祠嶋神而獵之多獲獸也

雄略天皇紀曰童女君者本是采女天皇與一夜而脤（維通案脤娠誤）遂生女子天皇疑不養及女子行步天皇御大殿物部目大連侍焉女子過庭目大連顧謂群臣曰麗哉女子徐步清庭者言誰女子天皇曰何故

問耶目大連對曰臣觀女子行步容儀能似天皇天皇曰見此者咸言如卿所道集解曰道原作導誤然朕與一宵而脤產女殊常由是生疑大連曰然則一宵喚幾迴乎天皇曰七迴喚之大連曰此娘子以清身意奉與一宵安輙生疑嫌他有潔臣聞易產腹者以褌觸體即便懷脤況與終宵而妄生疑也

又曰三年夏四月阿閉臣國見譖栲幡皇女與湯人廬城部連武彥曰武彥姦皇女而使任身武彥之父枳莒喻聞此流言恐禍及身誘率武彥廬城河偽使鸕鷀沒水捕魚因其不意而擊殺之天皇聞遣使者

按問皇女皇女對言妾不識也俄而皇女齎持神鏡
詣於五十鈴河上伺人不行埋鏡經死天皇疑皇女
不在恒使闇夜東西求覓乃於河上虹見如蛇四五
丈者掘虹起處而獲神鏡移行未遠得皇女屍割而
觀之腹中有物如水水中有石枳莒喻由斯得雪子
罪還悔殺子報殺國見
通證曰蓋是醫書所謂石瘕也
維通謂此爲我邦解剖術之濫觴也然後無繼者
故久廢不行耶

清寧天皇紀曰天皇生而白髮長而愛民
又曰冬十月癸己朔辛丑葬大泊瀨天皇于丹比高

鷲原陵于時隼人晝夜哀號陵側與食不喫七日而
死有司造墓陵北以禮葬之
維通謂靈柩難經俱云人不食飲七日而死故今
録之它亦有此例矣
武烈天皇紀曰二年秋九月刳孕婦之腹而觀其胎
欽明天皇紀曰奏曰我國家之王天下者恒以天地
社稷百八十神春夏秋冬祭拜為事方今改拜蕃神
恐致國神之怒天皇曰宜付情願人稻目宿祢試令
禮拜大臣跪受而忻悦安置小墾田家懃脩出世業
為因淨捨向原家為寺於後國行疫氣民致夭通證曰夭

（當作夭）殘久而愈多不能治療物部大連尾輿中臣連鎌子同奏曰昔日不須臣計致斯病死今不遠而復必當有慶宜早投弃懃求後福

又曰別勅醫博士（通證曰令典藥寮醫博士一人掌諸藥分脉經教授醫生等六典曰習本草甲乙脉經）易博士曆博士等宜依番上下今上件色人正當相代年月宜付還使相代又卜書曆本種種藥物（通證曰藥訓久須利盖以奇驗得名也一說可草作之義以草類多得名猶本草之稱也）付送

又曰別奉勅貢易博士施德王道良曆博士固德王保孫醫博士奈率王有㥄陀採藥師（通證曰令典藥寮藥園師二人）

掌知藥性色目種採藥園諸草及教藥園生義解謂寒温為性形狀為色名稱為目施德潘量豐國德丁有陀樂人德三斤季德已麻次季德進奴對德進陀皆依請代之三韓紀略曰魏景元元年百濟設官十六品第六品曰奈率第八品曰施德第九品曰固德集解作施德三斤曰原脫施字據釋補

敏達天皇紀曰發瘡死者充盈於國其患瘡者言身如被燒被打被摧啼泣而死老少竊相謂曰是燒佛像之罪矣通證曰松岡翁曰此應痘瘡流行此時世人未知痘瘡之名故驚以為異也今按此本醫療本紀說載在舊事大成經

推古天皇紀曰元年夏四月立廐戸豐聰耳皇子為皇后懷姙開胎之日巡行禁中監察諸司至于馬官

乃當廐戸不勞忽產之生而能言有聖智及壯一聞十人訴以勿失能辨

又曰三年夏四月沉水漂著於淡路嶋其大一圍嶋人不知沉水以交薪燒於竈其煙氣遠薰則異以獻之

又曰十九年夏五月五日藥獵於菟田野取鷄鳴時集于藤原池上以會明乃往之通證曰藥謂鹿茸月令仲夏鹿角解別錄曰四月五月解角時取陰乾○集解曰按藥獵採藥草兼爲田獵也○太子傳曰天皇幸菟田野自觀虞人逐獸○太平御覽曰夏小正曰五月此月畜藥蠲除毒氣也荊楚歲時記曰五月五日鷄未鳴時采艾似人形者攬而取之用灸有驗是日競採雜藥

又曰自百濟國有化來者其面身皆斑白若有白癩者乎惡其異於人欲棄海中嶋然其人曰若惡臣之斑皮者白斑牛馬不可畜於國中（通證曰中臣祓曰白人訓解曰白癩也又白癩也）

又曰大唐學問者僧惠齊惠光及醫惠日福因等並從智洗爾等來之於是惠日等共奏聞曰留于唐國學者皆學以成業應喚且其大唐國者法式備定珍國也常須達（維通案舒明天皇紀云二年秋八月以大仁犬上君三田耜大仁藥師惠日遣於大唐）

舒明天皇紀曰三年秋九月丁巳朔乙亥幸于攝津

國有間温湯集解曰攝津志曰有馬郡温泉湯槽濶
三尺有餘廣二丈許長可四丈上搆浴
室中分室内一曰一湯曰二湯相傳此泉性
温和帯辰砂之氣所以冠于天下温湯也冬十二月
丙戌朔戊戌天皇至自温湯
又曰十一年十二月己巳朔壬午幸于伊豫温湯宮
十二年夏四月丁卯朔壬午天皇至自伊豫
皇極天皇紀曰倭國言頃者菟田郡人押坂直闕名將
一童子欣遊雪上登菟田山便見紫菌挺雪而生高
六寸餘滿四町許乃使童子採取還示隣家摠言不
知且疑毒物於是押坂直與童子煮而食之大有氣
味明日往見都不在焉押坂直與童子因喫菌羹無

病而壽或人云蓋俗不知芝草而妄言菌耶
又曰高麗學問僧等言同學鞍作得志以虎爲友學
取其術或使枯山變爲青山或使黃地變爲白水種
種奇術不可殫究又虎授其針曰愼矣愼矣勿令人
知以此治之病無不愈果如所言治無不差得志恒
以其針隱置柱中於後虎折其柱取針走去高麗國
知得志欲歸之意與毒殺之
孝德天皇紀曰皇太子妃蘓我造媛聞父大臣爲鹽
所斬傷心痛惋惡聞鹽名所以近侍於造媛者名稱
鹽名改曰堅鹽（私記曰木多師）造媛遂因傷心而致死焉

又曰左右大臣乃率百官及百濟君豐璋其弟塞城
忠勝高麗侍醫毛治新羅侍學士等而至中庭
齊明天皇紀曰有間皇子性黠陽狂云云往牟婁温
湯偽療病來讃國體勢曰纔觀彼地病自蠲消
又曰四年冬十月庚戌朔甲子幸紀温湯（集解曰即牟婁温湯）
天智天皇紀曰七年秋七月越國獻燃土與燃水
又曰十年春正月以大山下授炑日比子贊波羅金
羅。金須（解藥）鬼室集信（解藥）以上（集解上行）曰小山上授達率
德頂上（解藥）吉大尚（解藥）許率母（明五經）角福牟（閑於陰陽）
又曰三月常陸國貢中臣部若子長尺六寸其生年

丙辰至此年十六年也

天武天皇紀曰四年春正月丙午朔大學寮諸學生陰陽寮外藥寮（通證曰典藥寮職員令内藥司屬中務省典藥寮屬宫内省○集解曰案中務省所管有内藥司對内稱外也此時制謂典藥寮爲外藥寮可知也）及舍衛女墮羅女百濟王善先新羅仕丁等捧藥（通證曰延喜式元日獻屠蘇酒尚藥執御盞率女孺昇殿令藥司童女先嘗然後供御次白散度嶂散三朝而畢）及珍異等物進

又曰莫食牛馬犬猿雞之宍以外不在禁例

又曰相摸國言高倉郡女人生三男

又曰九年二月有人云得麟角於葛城山角本二枝

而末合テ有レ宗宗上ニ有レ毛毛ノ長一寸則異テ以獻レ之蓋麟角歟

又曰十一年冬十月癸酉朔庚辰遣ニ百濟ノ僧優婆塞益ノ直金鐘ヲ於美濃ニ令レ煎ニ白朮ヲ集解曰按四季物談曰儺夜奉ニ白朮餅鵜ノ炙ヲ一本草綱目曰劉ニ取生朮ニ去レ土水浸再三煎如ニ飴糖ニ酒調飲レ之更リ善

又曰夏四月庚午朔丁丑侍醫オモトクスシ桑村主訶都授ニ直廣肆ニ因以賜レ姓ヲ曰レ連集解曰桑下原脱原字

又曰侍醫百濟人億仁ニ病テ之臨レ死則授ニ勤大壹位ニ仍封ニ一百戸レ

持統天皇紀曰五年十二月戊戌朔己亥賜ニ醫ノ博士

務大參德自珍咒禁博士木素丁武沙宅万首銀人

二十兩通證曰典藥寮醫博士二人咒禁博士二人六典曰掌敎咒禁生以咒禁祓除邪魔之為厲者

又曰八年詔曰粵以七年歲次癸巳醴泉涌於近江

國益須郡都賀山諸疾病之人停宿益須寺而療差

者衆故入水田四町布六十端原除益須郡今年調

役雜傜

醫言鈔日本書紀終

醫言鈔 續日本紀

文武天皇紀曰土佐國獻牛黄

又曰夏四月壬申近江紀伊二國疫給醫藥療之

又曰六月丙申近江國獻白樊石

又曰令近江國獻金青伊勢國朱沙雄黄常陸國備前伊豫日向四國朱沙安藝長門二國金青緑青豐後國真朱

又曰三年春正月壬午京職言林坊新羅女牟久賣一産二男二女癸未詔授内藥官桑原加都直廣肆賜姓連賞勤公也

又曰四年三月已未道照和尚物化孝德天皇白雉四年隨使入唐適過玄奘三藏師受業焉特愛令住同房謂曰吾昔往西域在路飢之無村可乞忽有一沙門手持梨子與吾食之吾自啖後氣力日健今汝是持梨沙門也臨訣授一鐺子曰吾從西域自所將來煎物養病無不神驗於是和尚拜謝啼泣而辭及至登州使人多病和尚出鐺子暖水煮粥遍與病徒當日卽差

又曰大寶元年冬十月丁未車駕至武漏温泉

又曰施僧法蓮豐前國野四十町褒醫術也

又曰山背國相樂郡女鴨首形名三產六兒初產二
男次產二女後產二男
元明天皇紀曰令大倭參河並獻雲母伊勢水銀相
摸石流黃白樊石黃樊石近江慈石美濃青樊石飛
彈若狹並樊石信濃石流黃上野金青陸奥白石英
雲母石流黃出雲黃樊石讃岐白樊石
元正天皇紀曰制大學典藥生等業未成立妄求薦
舉如是之徒自今以去不得補任國博士及醫師
又曰養老元年夏四月詔曰置職任能所以教導愚
民設法立制由其禁斷姧非僧尼依佛道持神咒救

病徒施湯藥而療痼病於令聽之方今僧尼輒向病
人令家詐禱幻恠之情戾執巫術逆占吉凶恐脅耄
穉致有求道俗無別終生姧亂三也如有重病應救
請淨行者經告僧綱三綱連署期日令赴不得因茲
逗留延日實由主司不加嚴斷致有此弊自今以後
不得更然布告村里勤加禁止
又曰天皇臨軒詔曰朕以今年九月到美濃國不破
行宮留連數日因覽當耆郡多度山美泉自盥手面
皮膚如滑亦洗痛處無不除愈在朕之躬其驗又就
而飲浴之者或白髮反黑或頽髮更生或闇目如明

自餘痼疾咸皆平愈昔聞後漢光武時醴泉出飲之者痼疾平愈符瑞書曰醴泉者美泉可以養老蓋水之精也

又曰三年六月丙子令神祇官宮主左右大舍人寮別勅長上畫工司畫師雅樂寮諸師造宮省主計寮筭師典藥寮乳長上左右衛士府醫師左右馬醫等始把笏焉

又曰四年正月始置授刀舍人寮醫師一人

又曰五年正月詔曰文人武士國家所重醫卜方術古今斯崇宜擢於百僚之內優遊學業堪爲師範者

特加賞賜勸勵後生（下略）醫術從五位上吉宜從五位下呉肅胡明從六位下養朝几太羊甲許毋解工。正六位上惠我宿祢國成河内忌寸人足堅部使主石前正六位下賈受君。正七位下胷形朝臣赤麻呂各絁十疋絲十絇布二十端鍬二十口

又曰詔曰沙門法蓮心住禪枝行居法梁尤精醫術濟治民苦善哉若人何不褒賞其僧三等以上親賜宇佐君姓

又曰始置左右兵衛府醫師各一人

又曰六年十月甲戌始置女醫博士

又曰冬十一月庚子勑按察使所治之國補博士醫
師自餘國博士並停之
又曰神龜三年六月詔曰夫百姓或染沉痼病經年
未愈或亦得重病晝夜辛苦朕爲父母何不憐愍宜
遣醫藥於左右京四畿及六道諸國救療此類咸得
安寧依病輕重賜穀振恤所司存懷勉稱朕心焉
聖武天皇紀曰神龜五年壬申太政官議奏改定諸
國史生博士醫師員幷考選叙限史生大國四人上
國三人中下國二人以六考成選滿卽與替博士醫
師每國補焉選滿與替同於史生

又曰天平二年三月陰陽醫術及七曜頒曆等類國家要道不得廢闕但見諸博士年齒衰老若不教授恐致絶業望仰吉田連宜。大津連首御立連清道。難波連吉成山口忌寸田主私部首石村。志斐連三田次等七人各取弟子將令習業其時服食料亦准大學生其生徒陰陽醫術各三人曜曆各二人

又曰夏四月辛未始置皇后宮職施藥院令諸國以職封并大臣家封戸庸物價買取草藥每年進之

又曰三年冬十一月丁未太政官處分武官醫師。使部及左右馬監。馬醫帶仗者考選及武官解任者先

例並屬式部於事不便自今以後令兵部掌焉但正
身依舊在寮上下

又曰十二月乙酉令太宰府始補壹岐對馬醫師

又曰四年八月從三位藤原朝臣宇合爲西海道節
度使道別判官四人主典四人醫師一人陰陽師一
人

又曰五年五月辛卯勅皇后枕席不安已經年月
百萬療治未見其可思斯煩苦忘寢與飡可大赦天
下救濟此病

又曰七年八月勅曰如聞此日太宰府疫死者多

思欲救療疫氣以濟民命是以奉幣彼部神祇為民禱祈焉又府大寺及別國諸寺讀金剛般若經仍遣使賑給疫民并加湯藥又其長門以還諸國守若介專齊或道饗祭祀

又曰是歲年頗不稔自夏至冬天下患豌豆瘡俗曰裳瘡夭死者多維通案敏達天皇紀通證引此章曰今俗謂之伊毛蓋忌也以其多禁忌得名

又曰九年夏四月太宰管內諸國疫瘡時行百姓多死

又曰是年春疾瘡大發初自筑紫來經夏涉秋公卿以下天下百姓相繼沒死不可勝計近代以來未之有也

又曰十一年十一月廣成之舩一百一十五人漂著
崑崙國有賊兵來圍遂被拘執舩人或被殺或迯自
餘九十余人著瘴死亡
又曰十五年外從五位上倭武助爲典藥頭
孝謙天皇紀曰天平勝寶四年下總國宂太部阿古
賣一產二男二女
又曰六年從五位下忌部宿祢烏麻呂爲典藥頭
又曰八年勑禪師法榮立性潔持戒第一甚能看病
由此請於邊令持醫藥
又曰天平寶字元年八月己亥勑曰安上治民莫善

於禮移風易俗莫善於樂禮所與惟在二寮門徒所
苦但衣與食亦是天文陰陽曆筭醫針等學國家所
要並置公廨之田應用諸生供給其大學寮三十町
雅樂寮十町陰陽寮十町
又曰冬十月凡國司處分公廨式者惣計當年所出
公廨先塡官物之欠負未納次割國內之儲物後以
見殘作差處分其法者長官六分次官四分判官三
分主典二分史生一分其博士醫師准史生例
又曰十一月癸未勅曰如聞頃年諸國博士醫師多
非其才託請得選非唯損政亦無益民自今已後不

得更然其須講經生者三經傳生者三史醫生者大素甲乙脉經本草針生者素問針經明堂脉決 下略

並應任用被任之後所給公廨一年之分應令送本受業師如此則有尊師之道終行教資之業永繼國家良政莫要於茲宜告所司早令施行

又曰十二月辛亥勅普為救養疾病及貧乏之徒以越前國墾田一百町永施山階寺施藥院伏願因此善業朕與衆生三檀福田窮於來際十身藥樹蔭於塵區永滅病苦之憂若保延壽之樂遂契眞妙之濲理自證圓滿之妙身

又曰頃者民間宴集動有違愆或同惡相聚濫非聖化或醉亂無節便致鬭爭擾理論之甚乖道理自今已後王公已下除供祭療患以外不得飲酒

又曰昔　泊瀨朝倉朝廷　詔百濟國訪求才人爰以德來貢進聖朝德來五世孫惠日　小治田朝廷御世被遣大唐學得醫術因號藥師遂以爲姓

又曰比來皇太后寢膳不安稍經旬日朕思延年濟疾莫若仁慈宜令天下諸國始自今日迄今年十二月三十日禁斷殺生又以猪鹿之類永不得進御（維通謂是恐禁食獸肉之始乎）

廢帝紀曰四年六月乙丑天平應眞仁正皇太后崩姓藤原氏近江朝大職冠内大臣鎌足之孫平城朝贈正一位大政大臣不比等之女也仁慈志在救物創建東大寺及天下國分寺者本太后之所勸也又設悲田施藥兩院以療養天下飢病之徒也

又曰七年五月戊申大和上鑒眞物化和上者楊州龍興寺之大德也博涉經論尤精戒律江淮之間獨爲化主與弟子二十四人寄乘副使大伴宿祢古麻呂船歸朝於東大寺安置供養于時有勅校正一切經論往往誤字諸本皆同莫之能正和上諳誦多下

雌黄又以諸藥物令名眞僞和上一一以鼻別之一
無錯失聖武帝師之受戒焉及皇太后不悆所進
醫藥有驗授位大僧正
稱德天皇紀曰據神龜五年八月九日格史生之員
隨國大小各有等差其博士者摠三四國一人醫師
者每國一人今經術之道成業者寡空設職員擢取
之人繕寫之才堪任者衆人多官少莫能遍用朝議
平章博士摠國一依前格醫師兼任更建新例職田
事力公廨之類並給正國不給兼處有料之國名爲
兼任其史生者博士醫師兼任之國國別格外加置

二人

光仁天皇紀曰二年閏三月外從五位下吉田連斐太麻呂爲内藥正

又曰九月從五位下田部宿祢男足爲典藥貟外助

又曰太宰府言日向大隅薩摩及壹岐多褹等博士醫師一任之後終身不替所以後生之學業術不進乞同朝法八年遷替以示于祿永勸後學許之

又曰九年從五位下淨岡連廣嶋爲典藥頭侍醫如故

又曰十年五月大政官奏曰謹撿令條國無大小每

國置史生三人博士醫師各一人神龜五年八月五日格諸國史生大國四人上國三人中下國各二人但博士者摠三四國一人醫師每國一人又神護二年四月二十六日格云博士摠國一依前格醫師兼任更建新例其史生者博士醫師兼任之國國別格永加置二人而今望者既多官貟猶少因茲國無定准任用淆亂臣等商量隨國大小增減貟數大國五人上國四人中國三人下國二人其遷代法一依天平寶字二年十月二十五日勅以四歲爲限其博士醫師兼國者學生勞於齋粮病人困於救療望請每國

各置一人並以六考遷替自今以後立為恒式謹録
奏聞伏聽天裁者奏可之
又曰天應元年六月遣從五位下勑旨大丞羽栗臣
翼於難波令練朴消
桓武天皇紀曰延暦二年從五位下布勢朝臣大海
為典藥頭
又曰三年從五位下吉田連古麻呂為内藥正侍醫
如故外從五位下出雲臣嶋成為侍醫
又曰六年五月戊戌典藥寮言蘇敬注新修本草與
陶隱居集注本草相撿增一百餘條亦今採用草藥

旣合敬說請行用之許焉

又曰九年秋冬京畿男女年三十已下者悉發坑豆瘡俗云裳瘡臥疾者多其甚者死天下諸國往往而在維通

按坑恐豌

國史醫言鈔卷之一續日本紀終

特
671

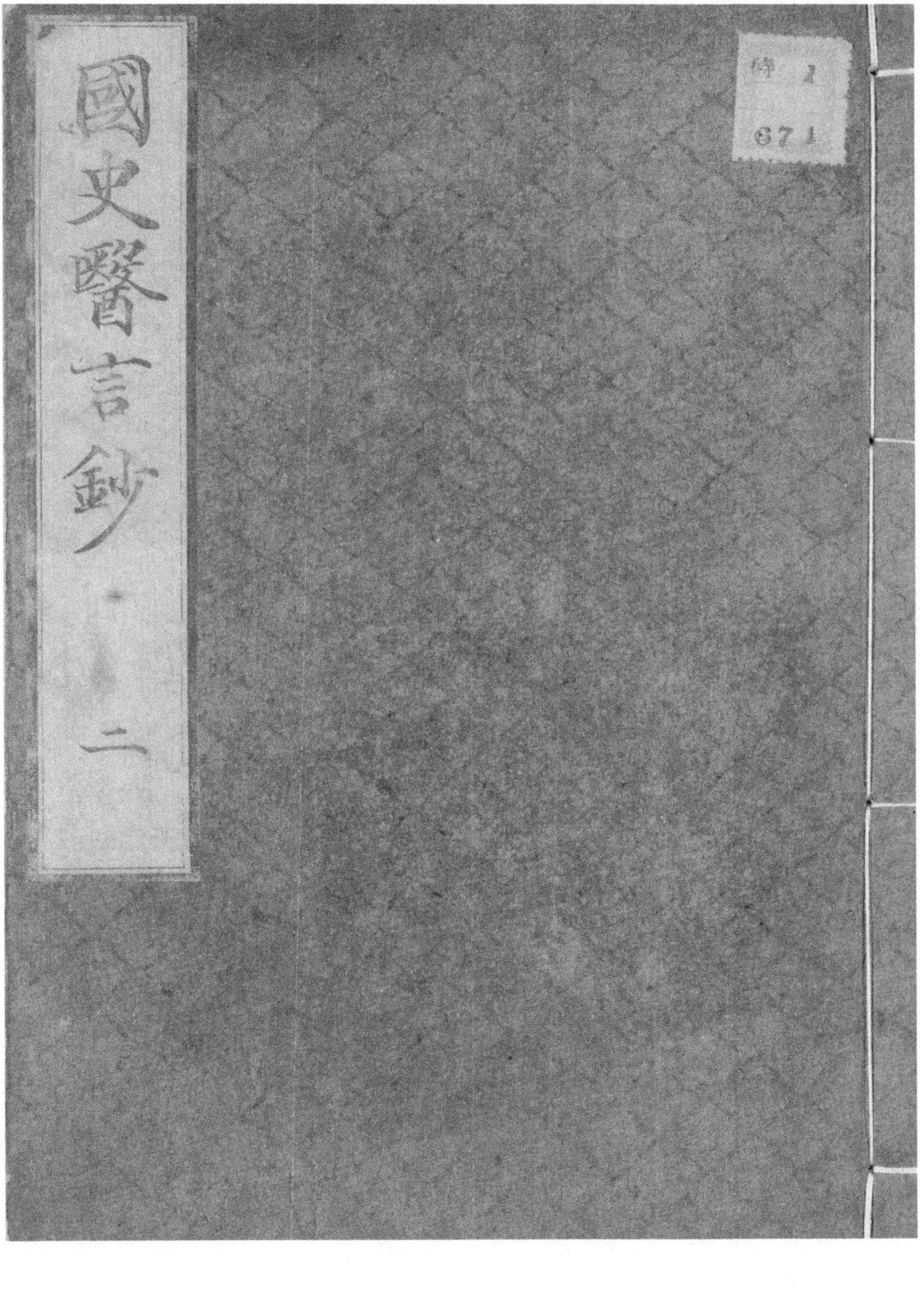
國史醫言鈔
二

國史醫言鈔卷之二 日本後紀

桓武天皇紀曰十五年壬戌始置典藥寮史生四人造酒史生二人

又曰己卯陸奥國博士醫師官位准少目

又曰十八年從五位上小倉王爲典藥頭

又曰清麻呂長子廣世爲大學別當墾田廿町入寮爲勸學料請裁闡明經四科之第又大學會諸儒講論陰陽書新撰藥經大素等大學南邊以私宅置弘文院藏內外經書數千卷墾田卌町永充學料以終父志焉

又曰延曆二十三年從五位下典藥頭藤原朝臣貞嗣爲左少弁

又曰遣典藥頭中臣道成等返納石上社矢伏

又曰秋七月壬辰勑如聞疫癘之時民庶相憚不通水火存心救療何有死亡父子至親畏忌無迹隣里疎族更復何言亡者衆多事在於此宜喻所司務存匍匐若不遵改隨即科處

又曰伊豆國掾正六位上山田宿祢豐濱奉使入京至伊勢國頓撫朝明二驛之間就村求湯有人與之更復煖酒相飮其後嘔吐至伊賀國堺豐濱從者死

豐濱情知毒酒勤加療治至京遂免
又曰大同元年從五位下藤原朝臣城主爲典藥頭
又曰從五位下若江造家繼爲典藥允
平城天皇紀曰詔衞門佐從五位下兼左大舍人助
相摸介安倍朝臣眞直外從五位下侍醫兼典藥助
但馬權掾出雲連廣貞等撰大同類聚方其功既畢
乃於朝堂拜表曰臣聞長桑妙術必須湯艾之治太
一祕結猶資錢石之療莫不藥力迴助拯殘魂於阽
厄醫方所鍾□遺命於斷□雖一貫典墳澄心
頤猶復降懷醫家汎觀攝生乃詔右大臣宜令侍醫

出雲連廣貞等依所出藥撰集其方臣等奉宣移□□在尋詳愚情所及靡敢漏□成一百卷名曰大同類聚方宜校始訖謹以奉進但凡厥經業不詳習年代懸遠注紀繇錯臣等才謝稽古學拙知新輙呈管窺當彩紕謬不足以對揚天旨酬答聖恩悚恐之□墜冰谷謹拜表以聞帝善之

又曰從五位下藤原朝臣淨岡爲典藥頭

又曰勅陸奥鎮守官人遷代之期未有年限宜自今以後一同國司其醫師以八考爲限

又曰從五位下難波連廣成爲內藥正

又曰藤原朝臣緒嗣曰臣生年未幾眼精稍暗復患
脚氣發動無期
嵯峨天皇紀曰弘仁三年從五位下藤原朝臣福當
麻呂爲典藥頭
又曰外從五位下縵連家繼爲典藥助
又曰夏四月己丑定鎭守官員將軍一員軍監一員
軍曹二員醫師弩師各一員也
又曰弘仁九年以正五位下左中弁藤原朝臣道雄
爲典藥頭
又曰弘仁十一年典藥寮解偁撿案内難波長柄豐

前宮御宇天皇御世大山上和藥使主福常習所紀術始授此職自斯以降子孫相承世此居此住至今不絶

又曰十二月癸巳勅置針生五人令讀新修本草經明堂經劉涓子鬼遺方各一部兼少史集驗千金廣濟方等中治瘡方特給月料令成其業

淳和天皇紀曰天長元年三月給丹波國醫師正七位下大村直繩諸國正税四百束充病料

又曰二年彈正尹四品佐味親王薨桓武天皇第九皇子也容儀閑雅頗好女色天皇踐祚之日行玄朝

堂暴疾倒臥呼聲似驢輿病而出不經幾日薨
又曰十一月庚午置施藥院使司使判官主典醫師
各一員
又曰今歳浦嶋子歸鄉　雄略天皇御宇入海至今
三百四十七年也浦嶋子者丹後國水江浦人也昔
釣得大龜變成婦人閑色無雙即爲夫婦
又曰三年九月丙寅河內國澁河郡荒廢閑地二十
町宛典藥寮　丁卯河內國澁河郡荒廢地二十町
充內藥司
又曰七年近江國荒廢田三十七町八段空閑地二

十町五段賜典藥寮

又曰十一月乙酉大政官府應補五畿內弁志摩伊豆飛驒佐渡隱岐淡路等國博士醫師事右被左近衛大將從三位兼守大納言行民部卿清原眞人夏野宣你奉　勑大學典藥生等年二十一以上不耐遂業者自今以後課試自讀補上件十一箇國博士醫師庶激垂帷之操慰穿壁之勞但世歲以下不在此限

醫言鈔　日本後紀

醫言鈔 續日本後紀

仁明天皇紀曰天長十年三月庚子左衛門醫師從七位上出雲連永嗣改連賜宿祢

又曰承和元年十二月大僧都傳灯大法師位空海上奏曰空海聞如來說法有二種趣一淺略趣二秘密趣言淺略趣者諸經中長行偈頌是也言秘密趣者諸經中陀羅尼是也淺略趣者如大素本草等經論說病源分別藥性陀羅尼秘法者如依方合藥服食除病若對病人披談方經無由療病必須當病合藥依方服藥乃得消除疾患保持性命

又曰二年九月丹波國之右近衛醫師外從五位下大村直福吉及其同族并五人賜姓紀宿祢焉武内宿祢之枝別也福吉妙得療瘡之術當時諸醫不得聞然天皇寵愛至賜宅居遂摭其口訣令撰治瘡記

又曰三年夏四月醫師山城國葛野郡人朝原宿祢岡野改本居貫附左京四條三坊

又曰去歲冬雪恐有水害疫氣之災

又曰四年正月伊豫國人典藥權允物部首廣宗其弟眞宗等改本居貫附左京二條四坊

又曰監乘津八世孫達率吉大尚其弟少尚等有懷

土心相尋來朝世傳醫術兼通文藝子孫家奈良京
田村里
又曰以宮城北園地卅二町內荒廢地二町充典藥
寮
又曰五年六月勅令貢雜物之國不許未進及少拘
留醫師公廨待返抄了後充行以爲恒例
又曰六年正月下知諸國疾疫百姓夭折宜令天下
國分寺限七个日轉讀般若兼遣僧醫隨道治養又
令鄉邑毎季敬禮疫神
又曰八月以東鴻臚院地二町宛典藥寮爲御藥園

又曰八年二月式部省言式云諸國博士醫師解任之後各還本司令熟本業若望更任者聽之不勞覆試其被試及第既任遭喪者服闋之後復任滿歷但不經試者不在此限省依式文喪解之所不補他人服闋之後令遂其歷因茲教授醫療一年曠職

又曰從五位下藤原朝臣民範爲典藥頭

又曰九年二月右京人侍醫外從五位下紀臣國守第從八位上同姓兼守等三人改臣字賜朝臣（維通案第恐弟誤）

又曰外從五位下菅原朝臣梶吉爲肥後介侍醫如

故
又曰文章博士從三位菅原朝臣清公恒服名藥容
顏不衰薨時年七十三
又曰十二年六月太宰府言檢案内去弘仁六年七
月二十五日格云博士醫師教授之勞良有殊別遷
代成選幷以六考爲期今前壹岐嶋醫師外大初位
下蕨野勝眞吉辭狀云謹案格式内番上者以六考
爲選限外番上者以八考爲選限眞吉在任之日全
得六考至于叙位被賜階准據格式恐有詭舛者府
加覆審非唯眞吉以往之人亦尚然也望請眞吉位

記換賜內位自今以後大隅薩摩日向壹岐對馬等國嶋博士醫師同准此例者聽之

又曰桓武天皇時公成始祖眞椋大連奏迎筑紫之奇巫奉救御病之膏肓天皇寵之賜姓巫部

又曰太宰府言謹案去神龜五年八月九日格云博士者摠三四國一人醫師每國一人又寶龜十年六月七日格云去閏五月廿七日奏偁博士醫師兼國者學生勞於齎粮病人困於救療望請每國各一人並以六考遷替立為恒式畫聞已訖者夫醫師無國之任者為有救療之急也今筑後肥前豐前豐後等

五箇國去府之程二日以上七日以下雲山重疊途
蹈艱澁吏民之中有頓病者遥着府下營受醫藥命
在呼吸旦不及夕往還之間既致夭殃是則無醫師
之所致也望請國別減史生一人置醫師一人加以
元來此府有得業生四人准大隅薩摩日向壹岐對
馬國嶋之例監試得業及第之輩以將充補一切不
任他人然則巷無短折之愁國有戶口之益者勅宜
停減史生以典藥學生及第者補之
又曰十二月物部首廣泉爲兼内藥正侍醫如故
又曰十三年二月伊勢國言鈴鹿郡牧田鄉戶主川

俣縣造繼□戶口保茂麻呂妻川俣縣造藤繼女産男其體自胸以上兩頭分裂二人相對四手相具面貌美麗頭髮甚黑自腹以下同共一體生而一日死焉

又曰從五位下益野王為尚藥

又曰十四年二月從五位下清原眞人清海為典藥頭

又曰嘉祥二年五月宣詔曰五月五日尔藥玉乎佩天飲酒人波命長久福在止奈毛聞食須故是以藥玉賜比御酒賜止波久宣維通案風俗通曰五月五日以綵絲繫臂辟鬼及兵令人不病

瘟一名長命縷一名辟兵繒一名五色縷一名朱索
枕草子曰五月五日には縫殿より御薬玉とていろくの糸を組さけてまいらせたれを御几帳奉るもやの柱乃左右に付たり

又曰三年正月從五位下當麻眞人鴨繼爲兼介侍醫如故

又曰帝叡哲聰明苞綜衆藝𡨋耽經史講誦不倦留意醫術盡諳方經當時名醫不敢抗論帝掌縱容謂侍臣曰朕年甫七齡得腹結病也八歳得臍下絞痛之病尋患頭風加元服後三年始得胸病其病之爲體也初似心痛稍如錐刺終以增長如刀割於是服七氣丸紫苑生薑等湯初如有効而後雖重劑不曾

效驗冷泉聖皇憂之勅曰予昔亦得此病衆方不效
欲服金液丹并白石英衆醫禁之不許予猶强服遂
得疾愈今聞所患非草藥之可治可服金液丹若詢
諸俗醫鑒等必駁論不肯宜喚海淡海子細論問隨
其言說服之處奉勅旨服玆丹藥果得效驗兼爲救
解古發設自治之法世絶良醫倉卒之變可畏故也
今至晩節熱發多變救解有煩世人未知朕躬之本
病上皇之勅旨必謂妄服丹藥兼絶自治而敗焉宜
記由來令免此榜恭遵詔旨記而載之雖通案絶恐施榜恐謗誤

醫言鈔 續日本後紀終

醫言鈔 文德實録

嘉祥三年秋七月石見國獻甘露味如飴糖瑞應圖云王者和氣茂則甘露降於草木食之令人壽

又曰書主者右京人也本姓吉田連其先出自百濟祖正五位上圖書頭兼内藥正相摸介吉田連宜父内藥正正五位下右麻呂並爲侍醫累代供奉右一本作古

又曰從五位下物部首廣泉爲權掾内藥正侍醫如故

仁壽二年春二月戊辰朔甲戌幸豐樂院以覽青馬

助陽氣也
又曰十一月紀朝臣東人爲典藥頭
又曰三年二月京師及畿外多患皰瘡死者甚衆天
平九年及弘仁五年有此瘡患今年復不免此疫而
已
又曰椿守弘仁四年正月爲大內記十一年正月爲
典藥助
又曰參議正四位下左兵衛督兼近江守藤原朝臣
助疱瘡之後緣不慎治而卒時年五十五
又曰梶成右京人也業練醫術㝡解處療承和元年

從聘唐使渡海朝廷以梶成明達醫經令其請問疑
義五年春解纜着於唐岸六年夏歸本朝路遭狂飈
漂落南海風浪緊急鼓舶艫俄而雷電霹靂柂子摧
破天晝黑暗失東西須臾寄着不知何嶋嶋有賊類
傷害數人梶成殊祈願佛神儻得全濟與判官良岑
長松等合力卽採集破船材木造一船共載尒時便
風引舶得着此岸朝廷嘉其誠節十年爲鍼博士次
爲侍醫卒於官
齊衡元年外從五位下神直虎主爲參河掾侍醫如
故

二年夏四月散位從四位下清峯朝臣門総維通案或作繼

左京人也承和四年二月為典藥頭

又曰右近衛醫師正七位上善宗等賜姓宿祢

天安元年右京大夫兼加賀守正四位下藤原朝臣

衛承和九年春正月遷為大宰大貳上表固讓帝不

聽之乃遂赴任先是所管九國三嶋醫師博士摠府

所自任也名實不副天俸有費因上奏云博士執經

授業之職醫師合藥療治之㝡也雖道自有優劣然

事非無緩急何者一夕之命得方則存其生理百年

之身失術則墜其天筭彼飛鳥之葺草流香之反魂

言於世路是甚急者而今府所任置醫師等未必其人假名居位三藥非共知十療無一驗遂使病門失望豈是皇度本意乎諸至件一色殊依朝選書奏時議容之自此始擢典藥生受業練道者以為彼管內醫師十四年秩滿歸京

醫言鈔 文德實録終

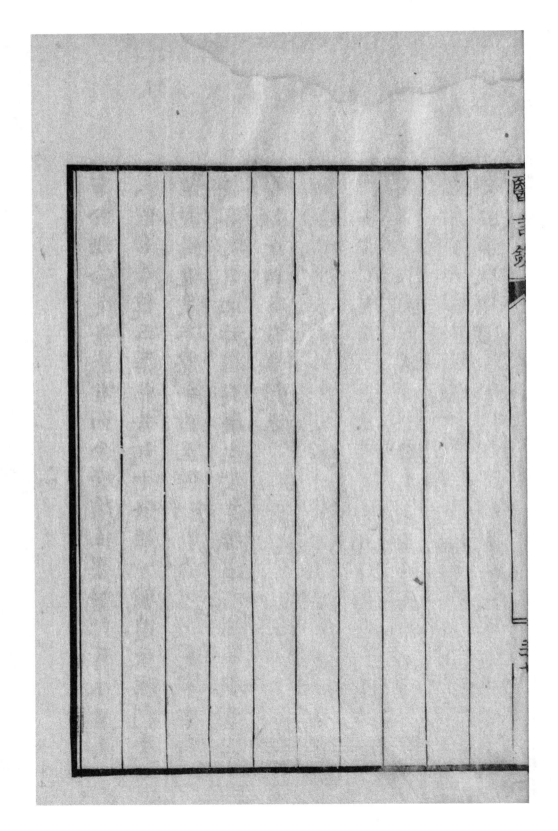

醫言鈔 日本三代實録

貞觀元年二月七日癸巳詔遣典藥頭從五位上出雲朝臣岑嗣於備中國採石鐘乳

又曰右大臣從二位兼行左近衛大將藤原朝臣良相奏請以私第一區建崇親院安置藤原氏無居宅者便隷施藥院廠所須付物令施藥院司掌之又建延命院便隷勸學院安置藤原氏有病患者詔從之

又曰以長門國醫師從八位下海部男種麻呂爲採銅使

二年正月從五位下行侍醫興道宿祢名繼爲駿河

介侍醫如故
又曰廣泉者左京人也本伊豫國風早郡姓物部首
後隸京兆賜姓朝臣廣泉少學醫術多見方書天長
四年爲醫博士兼典藥允遷爲侍醫後累遷伊豫讃
岐掾侍醫如故六年春授外從五位下爲内藥正侍
醫如故十四年授從五位下兼伊豫掾仁壽四年授
從五位上爲肥前介内藥正侍醫如故天安二年兼
參河權介貞觀元年冬授正五位下轉參河權守内
藥正侍醫如故廣泉藥石之道當時獨步齡至老境
鬚眉皎白皮膚悅澤躰氣猶強卒時七十六撰攝養

要决廿卷行於世矣

又曰庸主者右京人也自言大三輪大田田根子之後庸主奉姓神直成名之後賜姓大神朝臣幼而俊辨受學醫道針藥之術殆究其奧承和二年爲左近衞醫師遷侍醫十五年授外從五位下兼參河掾後遷兼備後掾三年授從五位下貞觀二年拜內藥正卒時六十三庸主性好戲謔最爲滑稽與人言談必以對事嘗出自禁中向作地黃煎之處途逢友人問云向何處去庸主答云奉天皇命向地黃處此其類也然處治多効人皆要引療病之工廣泉沒後庸主

繼塵太牧聲價焉
三年八月京邑往往梨李華或實又患赤痢者衆十
歳已下男女兒染苦此病死者衆矣
四年十二月典藥寮始置寮掌一員
五年正月授侍醫家原宿祢善宗外從五位下
又曰廿七日庚寅於御在所及建禮門朱雀門大祓
事以攘災疫也賑給京師飢病尤甚者自去冬末至
于是月京城及畿内畿外多患咳逆死者甚衆矣
又曰太宰醫師正七位上民首方宗木工醫師正六
位上民首廣宅等賜姓眞野臣

六年圓仁性寛柔慈悲甚淡喜怒不形於色嘗患身
羸蟄居叡山北極草菴夢從天送藥形如甜瓜半片
噉之其味如蜜傍有人語云此是三十三天不死妙
藥覺後口裏餘味飲之三過與夢中噉其味不異經
旬日知身健眼明

又曰播磨國餝磨郡人播磨擁醫師正八位上和迩
部臣宅貞賜姓迩宗宿祢

又曰尾張醫師從六位上其日連公冬雄等同族十
六人賜姓高尾宿祢

又曰貞觀四年三月二十日格偁非受業博士醫師

宜准史生責其解由然則史生已上既立其制博士醫士不入役例況復從事同於史生何獨保其撿斷望請博士醫師除受業練道之外同役公廨從之諸國亦准此

八年閏三月加賀國司言居住國内之輩便任國司并士民為博士醫師者二箇年間不給事力勅許之但得試之人不在此限

又曰五月九日壬子醫得業生從六位上狛人野宮成進位二階以奉試及第也

又曰秋七月廿五日丁卯紀伊國言伊都郡人六人

部由貴繼生白人男女二人男年二歲長二尺四寸女五歲長三尺一分兩兒生而肌膚鬢髮眉眼舉身純白如雪因得見暗夜不能向白日父母陰藏養成今圖其形進之

又曰夏井者左京人美濃守從四位下善岑之第三子也夏井眉目疎朗身長六尺三寸性甚温仁雅有才思承和初以善隷書待詔於授文堂就參議小野朝臣篁受用筆之法篁歎曰紀三郎可謂眞書之聖也又閑毉藥之道配土佐之後自往山澤採藥合練以施民民多得其驗嘗有一人中風被髮狂走夏井

與一匕散藥以令服之此人立瘉皆此之類也
又曰十二月五日丙子勅鎮守府醫師以六年為秩
限
九年二月外從五位下行針博士滋根宿祢宗繼為
醫博士
又曰良相朝臣者太政大臣正一位冬嗣朝臣之第
五子也嘗仁明天皇煎練五石試觀近侍先嘗欲知
精粗黃門數輩盡無飲服之者大臣引杯一擧而盡
帝感藥劑之間君臣不忘義焉
又曰外從五位下行侍醫藏人貞野賜姓坂上宿祢

後漢孝靈帝之後也
十年授侍醫五百木部公全成外從五位下
又曰左近衛醫紀宿禰春生授外從五位下
又曰從五位下行侍醫紀朝臣常仁爲越後守
十一年授權針博士下道朝臣門繼左近衛將監丹波直嗣茂施藥院使大友村主家人右近衛將監和藥宿祢弟歳並外從五位下
又曰十二月乙酉制加增典藥寮五位官人一員馬断（維通案断疑料）爲恒例
又曰峯嗣者左京人也父出雲朝臣廣貞長於醫師

官為正五位下信濃權守淳和太上天皇龍潛之日令峯嗣侍春宮藩邸峯嗣自申請欲繼家業仍補醫得業生自此而始峯嗣奉試及第弘仁十三年除左兵衛醫師十四年遷醫博士天長四年兼內藥佐七年兼侍醫八年兼攝津大目是年讓醫博士於物部廣泉十年爲春宮坊主膳正內藥佐侍醫攝津大目並如故承和二年授從五位下淳和太上天皇思在藩之舊以峯嗣爲侍者寵遇優渥頗超傍人四年爲尾張權介六年遷爲美濃權介不之官嘉祥二年爲越後守峯嗣侍淳和院奉太后御藥湯方之事由是

遷為播磨介以近都亦優其身也仁壽元年加從五位上天安二年為典藥頭貞觀五年自謝老出為攝津權守退居豐嶋郡山莊灌藥養性不交流俗十年改出雲姓為菅原以土師出雲同祖也卒時年七十八峯嗣不墜處治必効嘗奉勅與諸名醫共撰定金蘭方又針艾之所加多方注之外後進之備至今稱妙焉

又曰十二年十二月廿五日制云諸國非受業博士醫師以四年為秩限但出羽及太宰管内諸國五年為限

又曰請國博士醫師受業師斱割所請公廨十分一送納本寮

十六年遣伊豫權掾正六位上大神宿祢己井豐後介正六位下多治眞人安江等於唐唐家市香藥

又曰秋七月廿九日太宰府言去三月四日夜雷霆發響通霄震動遲明天氣蒙晝暗如夜于時雨沙色如聚墨終日不止積地之厚或處五寸或處可一寸餘比及昏暮沙變成雨禾稼得之者皆致枯損河水和沙更爲盧濁魚鼈死者無數人民有得食死魚者或死或病

又曰八月九日外從五位下行權針博士下道朝臣
門繼卒門繼有至性篤信佛教常着袈裟誦佛經
十八年后兄右大臣藤原朝臣基經初夢后露臥庭
中苦腹脹滿頃之腹潰氣昇屬天郎便成日其後后
以選入掖庭遂有身
元慶六年正月授侍醫兼針博士長門權介葛城宿
祢高宗等從五位上
七年正月授外從五位下行典藥助物部朝臣内嗣
從五位下
又曰十二月廿五日丁己勅諸國史生不任用當土

之人及無位之輩憲章既存遵行有日而非受業博
士醫師依前後格責解由沒公廨用四年秩限停受
業師料等之事一同史生至于補任偏據令文尚依
受業師料等之事一同史生至于補任偏據令文尚
依受業之例無嫌當部之人名與實違事與情戾自
今而後宜准史生例非受業人不可任當國博士醫
師
仁和元年三月十五日庚午式部省言式云諸國博
士醫師者春試及第并其道博士等並共舉申為受
業自餘為非業又云諸國非業博士醫師以四年為

秩限但出羽大宰府管内諸國五年為限又云諸國
博士醫師受業非業兩色每年三月一日移送民部
省今案件文受業非業才用不同六年四年秋限各
異而補任不辨其由籤符隨無其状本任之國量状
任用今或國司称非業移民部省號受業歷及六年
至于有所司之勘出本國停見任徵俸料愁許之日
更下宣旨數年之後令滿遺歷如斯之累誠在無文
望請上件受業之徒補任解文姓名之下舉各業明
注其生任符之面隨被注載非業之人自如恒例然
則國司更无疑殆公政將有定議者勅從之

又曰閏三月六日辛卯左辨官使部大石益行妻産女無臀大孔糞出自口但其陰如常人數日而死

又曰九月十一月壬辰不發奉伊勢太神宮幣使以典藥大屬蜂田岑範死穢未滿三十日也

二年正月授侍醫兼針博士阿比古氏雄從五位下

又曰冬十月十九日甲子勑以山城國乙訓紀伊宇治郡官田三十二町五段二百二十七步和泉國大鳥郡官田七町攝津國嶋上嶋下河邊武庫菟原八部有馬郡官田五十二町八段三百十一步賜典藥寮爲月料田

國史醫言鈔 三代實録 終

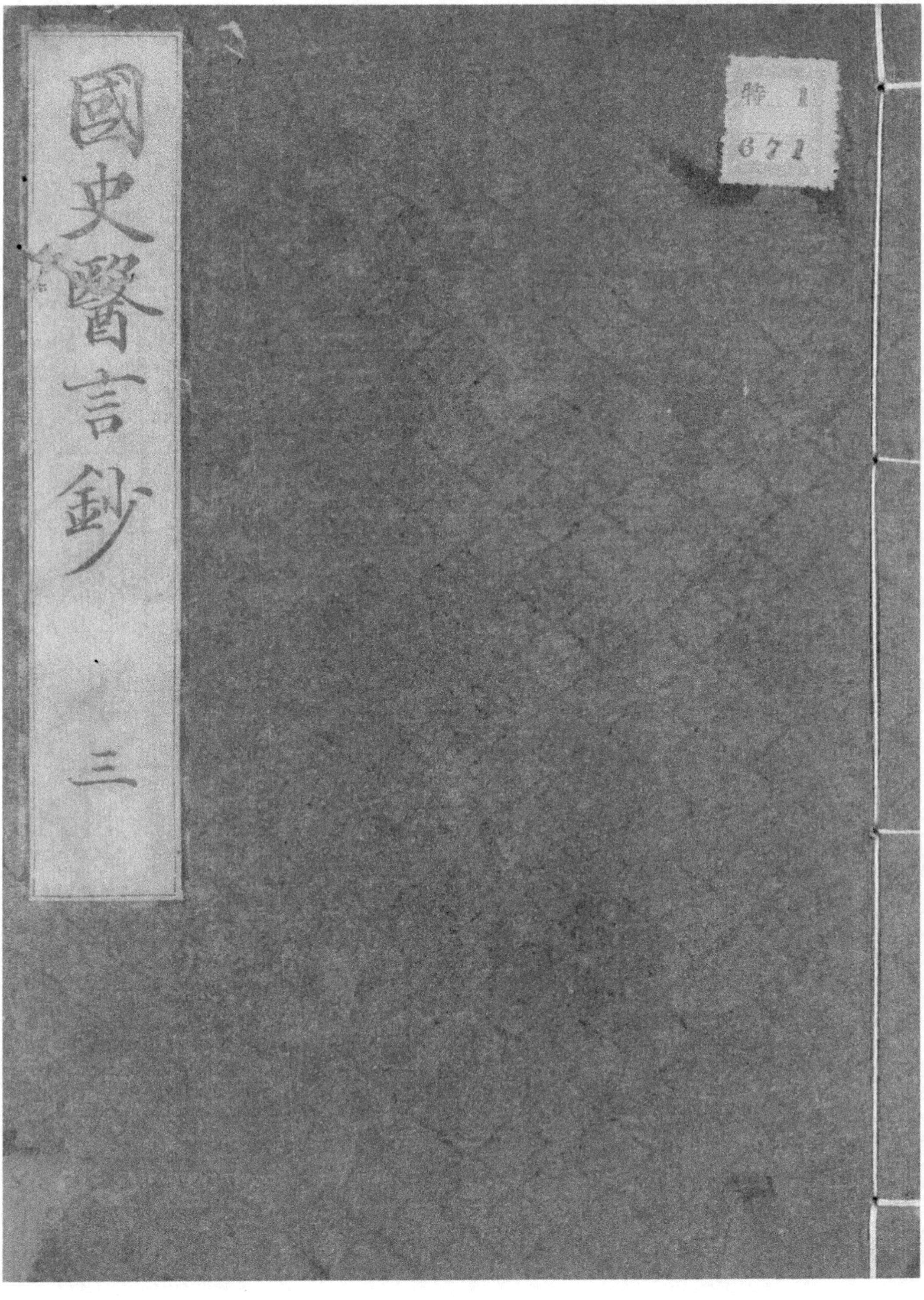
國史醫言鈔
三
特 1
671

國史醫言鈔卷之三 佛說柰女耆域因緣經

安藝　吉田維通憲德　纂輯

佛說柰女耆域因緣經 後漢安世高譯　按耆域卽耆婆別有柰女耆婆經與此同文但首段及中間多折畧故今從此經文翻譯名義集云耆婆或云耆域或名時縛迦此云能活又云故活影聖王之子善見廢兄柰女所生

如是我聞一時佛在羅閱祇國與大比丘千二百五十人俱菩薩摩訶薩天龍八部大衆集會說法時世人民施者無量有一貧人唯有一爛壞手巾意欲布施懼此物惡猶豫未決爾時坐中有一比丘尼名曰柰女卽從座起整服作禮長跪叉手白佛言世尊我

自念先世生波羅柰國為貧女人時世有佛名曰迦葉時與大衆圍遶說法坐聞經歡喜意欲布施顧無所有自惟貧賤心用悲感詣他園圃求乞果蓏當以施佛時得一柰大而香好擎一盂水并柰一枚奉迦葉佛及諸衆僧佛知至意呪願受之分布水柰一切周普緣此福祚壽盡生天得為天后下生世間不由胞胎九十一劫生柰華中端正鮮潔常識宿命今值世尊開示道眼爾時柰女以偈頌曰

三尊慈潤普　慧度無男女　水果施弘報

緣得離衆苦　在世生華中　上則為天后

自歸聖衆祐　福田最深厚

比丘尼柰女禮已還坐佛在世時羅耶黎國國王苑
中自然生一柰樹枝葉繁茂實又加大既有光色香
美非凡王寶愛此柰自非中宮尊貴美人不得啖此
柰果國中有梵志居士財富無數一國無雙又聰明
博達才智超羣王重愛之用為大臣請梵志飯食食
畢以一柰實與之梵志見柰香美非凡乃問王曰此
柰樹下寧有小栽可得乞不王曰大多小栽吾恐妨
其大樹輒除去之卿若欲得今當相與即以一柰栽
與梵志梵志得歸種之朝夕溉灌日日長大枝條茂

好三年生實光彩大小如王家柰禁志大喜自念我
家資財無數不減於王惟無此柰以爲不如今已得
之爲無減王既取食之而大苦澀了不可食禁志大
愁惱乃退思惟當是土無肥潤故耳乃捉取百牛之
湩以飲一牛復取一牛之湩煎之爲醍醐以灌柰根日
日灌之到至明年實乃甘美如王家柰而樹邊忽復
生一瘤節大如手拳日日增長禁志心念忽有此瘤
節恐妨其實適欲斫去恐復傷樹連日思惟遲徊未
決而節中忽生一枝正指上向洪直調好高出樹頭
去地七丈其杪乃分作諸枝周圍傍出形如偃蓋華

葉茂好勝於本樹梵志怪之不知枝上當何所有乃
作棧閣登而視之見枝上偃蓋之中乃有池水既清
且香又有衆華彩色鮮明披視華中有一女兒在池
華中梵志抱取歸長養之名曰柰女至年十五顏色
端正天下無雙宣聞遠國有七國王同時俱來詣梵
志所求娉柰女以爲夫人梵志大恐怖不知當以與
誰乃於園中架一高樓以柰女著上出謂諸王曰此
非我所生自出於柰樹之上不知是天龍鬼神女耶
鬼魅之物今七王俱來求之我設與一王六王當怒
不敢愛惜也女今在園中樓上諸王便自平議有應

得者便自取去非我所制也於是七王口共爭之紛紜未決至其夕夜蓱沙王從伏竇中入登樓就之共宿明晨當去柰女白曰大王幸枉威尊接逮於我今復相捨而去若其有子則是王種當何所與王曰若是男兒當以還我若是女兒便以與汝王則脫手金鐶之印以付柰女以是爲信便出語羣臣言我已得柰女一宿亦無奇異故如凡人故不取耳蓱沙軍中皆稱萬歲曰我王已得柰女六王聞之便各還去蓱沙王去後遂便有娠時柰女勅守門人言若有求見我者當語言我病後日月滿生一男兒顏貌端正兒

生則手持針藥囊梵志曰此國王之子而執醫器必
醫王也時柰女即以白衣裹兒勅婢持棄著巷中婢
即受勅抱往棄之時王子無畏淸旦乘車往欲見大
王遣人除屛道路時王子遙見道中有白物即住車
問傍人言此白物是何等答言此是小兒問言死活
答言故活王子勅人抱取是覓乳母養之以活梵志
將此小兒還付柰女名曰耆域至年八歲聰明高才
學問書疏越殊倫匹与隣比小兒遊戲心常輕諸小
兒以不如己諸兒共罵之曰無父之子婬女所生何
敢輕我耆域愕然默而不答便歸問母曰我視子曹

皆不如我而反罵我言無父之子我父今者為在何
許母曰汝父者正萍沙王是也耆域曰萍沙王乃在
羅閱祇國去此五百里何緣生我即如母言何以證
之母則出印鐶示之曰此則汝父鐶也耆域省之見
萍沙王印文便奉持此鐶徃至羅閱祇徑入宮門門
無訶者即到王前為王作禮長跪白王言我是王子
柰女所生今年八歲始知是大王種類故持鐶印信
遠來歸家王見印文覺憶昔之誓知是其子愴然矜
之以為太子涉歷二年會阿闍世王生耆域因白曰
我初生時手把針藥囊是應當為醫也王雖以我為

太子非我所樂王今自有嫡子生矣應襲尊嗣我願得行學醫術王則聽之王曰汝不爲太子者不得空食王祿應學醫道王卽命勅國中諸上手醫盡術教之而耆域但行嬉戲未甞受學諸師責謂之曰醫術鄙陋誠非太子至尊所宜當學然大王之命不可違廢受敎已來積有日月而太子初不受半言之方若王問我我何以對耆域曰我生而有醫證在手故白大王捐棄榮豪求學醫術豈復懈怠須師督促直以諸師之道無足學者故耳便取本草藥方針脉諸經具難問師師窮無以答皆下爲耆域作禮長跪叉手

曰今日益知太子神聖實非我等所及也向所問諸
事皆是我師歷世疑義所不能通願太子具悉說之
開解我曹生年之結耆域便爲解說其義諸醫歡喜
皆更起頭面作禮承受其法爾時耆域卽自念言王
勅諸醫都無可學者誰當教我學醫道時彼聞德叉
尸羅國有醫姓阿提棃字賓迦羅極善醫道彼能教
我爾時耆域童子卽往彼國詣賓迦羅所自言大師
我今請仁者以爲師範從學醫術經七年已自念言
我今習學醫術何當有已卽往師所自言我今習學
醫術何當有已時師卽與一籠器及掘草之具汝可

於德叉尸羅國面一由旬求覓諸草有非是藥者持來時耆域即如師勅於德叉尸羅國面一由旬求覓非是藥者周竟不得非是藥者所見草木一切物善能分別知所用處無非藥者彼即空還往師所白如是言師今當知我於德叉尸羅國求非藥草者面一由旬周竟不見非藥者所見草木盡能分別所入用處師答耆域言汝今可去醫道已成我於閻浮提中最爲第一我若死後次後有汝於是耆域便行治病所治輒愈國內知名後欲入宮於宮門前逢一小兒擔樵耆域望視悉見此兒五臟腸胃縷悉分明耆域

心念本草經說有藥王樹從外照內見人腹臟此兒樵中得無有藥王耶即往問兒賣樵幾錢兒曰十錢便雇錢取樵下樵置地便闇冥不見腹中耆域更心思惟不知束中何所為是藥王便解兩束一一取之以著小兒腹上無所照見輒復更取如是盡兩束樵最後有一小枝裁長尺餘試取以照具見腹內耆域大喜知此小枝定是藥王悉還兒樵兒既已得錢樵及如故歡喜而去爾時耆域自念我今先當治誰此國既小又在邊方我今寧可還本國始開醫道於即還歸婆伽陀城婆伽城中有大長者其婦十二年中

常患頭痛衆醫治之而不能瘥時耆域聞之卽往其家語守門人言白汝長者有醫在門外時守門人卽入白門外有醫長者婦問言醫形貌何似答言是年少彼自念言老宿諸醫治亦不瘥況復年少卽勅守門人語言我今不須醫守門人卽出語言我已爲汝白長者長者婦言今不須醫耆域復言汝更白汝長者婦但聽我治若瘥者隨意與我物時守門人復白之醫作如是言但聽我治若瘥隨意與我物長者婦聞已自念言若如是無所損勅守門人喚入時耆域入詣長者婦所問言何所患苦答言患如是如是復

問病從何起答言從如是如是起復問病來久近答言病來爾許時彼問已語言我能治汝彼即取好藥以酥煎之灌長者婦鼻病者口中酥唾俱出時病人即器承之酥便收取唾別棄之時耆域見已心懷愁惱如是少酥不淨猶尚慳惜況能報我病者見已問耆域言汝愁惱耶答言實爾問言何故愁惱答言我自念言此少酥不淨猶尚慳惜況能報我以是故愁耳長者婦答言為家不易棄之何益可用然燈是故收取汝但治病何憂如是彼即治之後病得瘥時長者婦與四十萬兩金并奴婢車馬時耆域得此物已

還王舍城詣無畏王子門語守門人言汝往白王言耆域在外守門人即入白王王勅守門人喚入耆域入已前頭面禮已在一面住以前因縁具白無畏王子言以今所得物盡用上王王子言且止不須便為供養已汝自用之此是耆域最初治病爾時拘睒彌國有長者子輪上嬉戲腸結腹内食飲不消亦不得出彼國無能治者彼聞摩竭國有大醫善能治病即遣使白王拘睒彌長者子病耆域能治願王遣來時萍沙王喚耆域問言拘睒彌長者子病汝能治不答言能若能汝可往治之時耆域乘車詣拘睒彌耆域

始至長者子已死妓樂送出耆域聞聲即問言此是何等妓樂鼓聲傍人答言是汝所爲來長者子已死是彼妓樂音聲耆域善能分別一切音聲即言語使廻還此非死人語已即使廻還時耆域即下車取利刀破腹披腸結處示其父母諸親語言此是輪上嬉戲使腸結如是食飲不消非是死也即爲解腸還復本處縫皮肉合以好藥塗之瘡即愈毛還生与無瘡處不異時長者子即報耆域四十萬兩金婦亦与四十萬兩金長者父母亦爾各與四十萬兩金耆域念言夫爲師者須報其恩今持一百六十萬兩金與德

又尸羅國大師賓迦羅念己持金詣師所頭面禮師足奉上此金唯願大師哀愍納受師曰便爲供養已我不須此寶耆域慇勤至到賓迦羅乃受此金耆域奉辭禮足而去爾時國中有迦羅越家女年十五臨當嫁日忽頭痛而死耆域聞之往至其家問女父曰此女常有何病乃至夭亡父曰女小有頭痛疾日月增甚今朝發作尤甚於常以致絕命耆域便進以藥王照視頭中見有刺蟲大小相生乃數百枚鑽食其腦腦盡故死便以金刀刺破其頭悉出諸蟲封著甖中以三種膏塗瘡一種者補蟲所食骨間之瘡一種

生腦一種治外刀瘡告女父曰好令安靜慎莫使驚七日當愈平復如故到日我當復來者域適去女母便更啼哭曰我子為再死也豈有剜破頭腦當復活者父何忍使人取子爾耶父止之曰耆域生而把針藥棄尊榮位行作医師但為一切人命此乃天之醫王豈當妄耶囑語汝言慎莫使驚而汝反啼哭以驚動之將令此兒不復得生母聞父言止不復哭共養護之寂靜七日七日晨明女便吐氣而寤如從臥覺曰我今者了不頭痛身體皆安誰護我者使得如是父曰汝前已死醫王耆域故來護汝破頭出蟲以得

更生便開襞出蟲示之女見大更驚怖深自僥倖耆
域神乃如是我促得報其恩父曰耆域與我期言今
日當來於是須臾耆域便來女歡喜出門迎頭面禮
足長跪叉手白願爲耆域作婢終身供養以報更生
之恩耆域曰我爲醫師周行治病居無常處何用婢
爲汝必欲報恩者與我五百兩金我亦不用此金所
以求者凡人學道法當謝師師雖無以教我我當爲
弟子今得汝金當以與之女便奉五百兩金以上耆
域耆域受以與師因白王暫歸省每到維耶棃國爾
時國中復有迦羅越家男兒好學武事作一木馬高

七尺餘日日學習碼上初學適得上馬久久益習忽過去失據躃地而死耆域聞之便往以藥王照視腹中見其肝反戾向後氣結不通故死復以金刀破腹手探料理還肝向前畢以三種神膏塗之其一種補手所攫持之處一種通利氣息一種主合刀瘡畢囑語父曰慎莫令驚三日當愈父承教勅寂靜養視至於三日兒便吐氣而寤狀如臥覺即便起坐須臾耆域亦來兒歡喜出門迎頭面作禮長跪白言願得爲耆域作奴終身供養以報再活之恩耆域曰我爲醫師周行治病病者之家爭爲我使當用奴爲我母養

我勤苦我未有供養之恩報毎卿若欲謝我可與我
五百兩金以報毎恩於是取金以上柰女還歸羅閲
祇國耆域治此四人馳名天下莫不聞知又南有大
國去羅閲祇八千里萍沙王及諸小國皆臣屬之其
王疾病積年不瘥恒苦瞋恚睢眥殺人人舉目視之
亦殺低頭不仰亦殺使人行遲亦殺疾走亦殺左右
侍者不知當何措手足醫師合藥輙疑恐有毒亦殺
之前後所殺傍臣宮女及醫師之輩不可稱數病日
增甚毒熱攻心煩滿短氣如火燒身聞有耆域即爲
下書勅萍沙王徵召耆域耆域聞此王多殺醫師大

以恐怖萍沙又憐其年小恐為所殺適欲不遣畏見誅伐父子相守晝夜愁憂不知何計爾時萍沙王乃將耆域俱往佛所頭面禮足而白佛言世尊彼王性惡惟恐殺醫師為可往不佛告耆域汝宿命時與我約誓俱當救護天下我治内病汝治外病今我得佛故如本願會生我前此王病篤遠來迎汝如何不往急往救護之好作方便令病必愈王不殺汝耆域便承佛威神往到王所診省脉理及以藥王照之見王五臟及百脉之中血氣擾擾悉是蛇蟇之毒周帀身體耆域白王王病可治治之愈然宜入見太后諮議

合藥若不見太后藥終不成王聞此語不解其故意
甚欲怒然恚身病宿聞耆域之名故遠迎之冀必有
益且是小兒知無他姦恐而聽之即遣青衣黃門將
入見太后耆域白太后王病可治今當合藥宜密啓
其方不可宣露宜屛左右太后即逐青衣黃門耆域
因白太后向省王病見身中血氣悉是蛇蠹之毒似
非人類王爲定是誰子太后以實語我我能治之若
不語我我則不治病不得愈太后曰我昔於金柱殿
中晝臥忽有物來壓我上者我時恍惚若夢若覺狀
如魘夢遂與通情忽然而寤見有大蠹長三尺餘從

我上去則覺有娠王實是蠆子也我羞耻之未曾出口童子今乃覺之何若神妙當用何藥耆域曰唯有醍醐耳太后曰咄童子愼莫道醍醐而王大惡聞醍醐之氣又惡聞醍醐之名前後出口道醍醐而死者數千人汝今道此必當殺汝以此飲王終不得下願更用他藥耆域曰醍醐治毒毒病惡聞醍醐王病若微及是他毒爲有餘藥可以愈之蠆毒既重又已帀身體自非醍醐終不能消今當煎鍊化令成水無氣無味王意不覺自當飲之藥下必愈無可憂也便出見王曰向入見太后已啓藥方今當合之十五日當

成今我有五願王若聽我病可即愈若不聽我病不可愈王問五願盡何等事耆域曰一者願得王甲藏中新衣未歷軀者與我二者願得令我獨自出入宮門門無訶者三者願得日日獨入見太后及王后莫得禁訶我四者願王飲藥當一仰令盡莫得中息五者願得王八千里白象與我乘之王聞大怒曰兒子何敢求是五願促具解之若不能解今棒殺汝汝何敢求我新衣爲欲殺我便著我衣詐我身耶耆域曰合藥宜當精絜齊戒而我來日久衣被皆塵垢故欲得王衣以之合藥王意解曰此大佳汝何故欲得自

出入宮門令無禁訶欲因此將兵來攻殺我耶耆域曰王前後使諸師醫皆嫌疑之無所委信又誅殺之不服其藥羣臣皆言王當復殺我而王病已甚恐外人生心作亂若令我自入不見禁訶外人大小皆知王信我必服我藥病必當愈則不敢生逆亂之心王曰大佳汝何故日日獨入見我母及我婦欲作婬亂耶耆域曰王前後殺人甚多臣下大小各懷恐怖皆不願王之安穩無可信者今共合藥因我顧眄之間便投毒藥我所不覺則非小故思惟可信者恩情無二惟有母與婦故敢入見太后王后與共合藥當煎

十五日乃成故欲日日入伺候火劑耳王曰大佳汝
何故使飲藥一仰令盡不得中息爲欲內毒恐我覺
耶耆域曰藥有劑數氣味宜當相及若中息則不相
繼王曰大佳何故欲得我象乘之此象是我國寶一
日行八千里我所以威伏諸國正怙此象汝欲乘之
爲欲盜以歸家與汝父攻我國耶耆域曰乃南界山
中有神妙藥去此四十里王飲藥宜當卽得此草重
復服之故欲乘此象詣往採之朝去暮還令藥味相
及王意大解皆悉聽之於是耆域煎鍊醍醐十五日
成化如清水凡得五升便與太后王后俱捧藥出白

王可服願被白象置殿前王即聽之王見藥但如水
初無氣味不知是醍醐又太后身自臨合信其非毒
便如本要一飲而盡耆域便乘象徑去還羅閱祇國
爾時耆域適行三千里耆域年小力膂尚微不堪疾
迅頭眩疲極便止息臥到日過中王噫氣出聞醍醐
臭便更大怒曰小兒敢以醍醐中我我怪兒所以求
我白象正欲叛去王有勇士之臣名曰烏神足步行
能及此象即呼烏曰汝急往逐取兒來生將以還我
欲目前捶殺之汝性常不廉貪於飲食故名爲烏此
醫師輩多喜行毒若兒爲汝設食慎莫食也烏受勑

便行及之於山中曰汝何故以醍醐中王而云是藥王故令我追呼汝還汝急隨我還陳謝自首庶可望活若故欲走今必殺汝終不得脫耆域自念我方便求此白象復不得脫今當復作方便何可隨去乃謂烏言我朝來未食還必當死寧可假我須臾得於山間噉果飲水飽而就死乎烏見耆域小兒畏死懼怖言辭辛苦憐而聽之曰促食當去不得久留耆域乃取一棃齧食其半以毒藥著爪甲中以分餘半便置於地又取一盃水先飲其半又行爪下毒於餘水中復置於地乃歎曰水及棃皆是天藥既清香且美其

飲食此者令人身安百病皆愈氣力兼倍恨其不在
國都之下百姓當共得之而在深山之中人不知也
便進入山索求他果鳥性既貪不能忍於飲食又聞
耆域歎為神藥亦見耆域已飲食之謂必無毒便取
餘漿食盡飲餘水便下痢痢如注水躃地而臥起輒
眩倒不能復動耆域曰王服我藥病必當愈然藥力
未行餘毒未盡我今往者必當殺我汝無所知起欲
得我以解身負故使汝病病自無苦慎莫動搖三日
當瘥若起逐我必死不疑便上象而去耆域則過墟
聚語長伍曰此是國王使今忽得病汝等急往舁取

歸家好養護之厚其床席給與糜粥愼莫令死死者
王滅汝國語畢便去遂歸本國長伍承勅迎取養護
三日毒歇下絶烏便歸見王叩頭自陳曰我實愚癡
違負王敎信耆域言飮食其餘水果爲其所中下痢
三日始今但瘥自知當死比烏還三日之中王病已
瘥王自追念悔遣烏行見烏來還且悲且喜曰賴汝
不即將兒來當我恚時必當搥殺我得其恩命得生
活而反殺之逆戾罪不細也即料前後所枉殺者悉
更厚葬復其家門賜與錢財思見耆域欲報其恩即
遣使者奉迎耆域耆域雖知王病瘥猶懷餘怖不復

欲往爾時耆域復詣佛所接足頂禮而白佛言世尊
彼王遣使來喚爲可往不佛告耆域汝本宿命已有
弘誓當成功德何得中止今應更往汝已治其外病
我亦當治其內病耆域便隨使者去王見耆域甚大
歡喜引與同坐把持其臂曰賴蒙仁者之恩今得更
生當何以報當分國土以半相與宮中婇女庫藏寶
物悉當分半幸願仁者受之耆域曰我本爲太子雖
是小國亦有民人珍寶具足不樂治國故求爲醫當
行治病當用土地婇女寶物爲皆所不用王前聽我
五願外病已愈今若聽一願內病可復除愈王曰唯

聽仁教請復聞一願之事耆域曰願王請佛從受明
法因為王說佛功德巍巍特尊王聞大喜曰今欲遣
鳥臣以白象迎佛可得致不耆域曰不用白象佛皆
一切遍知人心所念但宿齋戒清淨供具燒香遥請
向佛作禮長跪自請佛必自來王如其言佛明日與
千二百五十比丘俱來飯食已畢為王說經王意開
解便發無上正眞道心舉國大小皆受五戒恭敬作
禮而去又柰女生既奇異長又聰明從父學問博知
經道星歷諸術殊勝於父加達聲樂音如梵天諸迦
羅越及梵志家女合五百人皆往從學以為大師柰

女常從五百弟子讚授經術或相與遊戲園地及作
音樂國人不解其故便生譏謗呼為婬女五百弟子
皆號婬黨又柰女生時國中復有須曼女及波曇女
亦同時俱生須曼女者生於須曼華中國有迦羅越
家常笮須曼以為香膏笮膏石邊忽作瘤節大如彈
丸日日長大至如手拳石便卒破見石節之中有聚
聚如螢火射出墮地三日而生須曼又三日成華華
舒中有小女兒迦羅越取養之名曰須曼女長大姝
好及才明智慧亞次柰女爾時又有梵志家浴池中
自然生青蓮華華特加大日日長益如五斗瓶華舒

中見有女兒梵志取養之名波曇女長大又好才明智慧如須曼女諸國王聞此二女顏容絶世交來求娉之二女曰我生不由胞胎乃出草華之中是與凡人不同何宜當隨世人乃復嫁耶聞柰女聰明容貌絶世無與譬者人生與我同體皆辭父母徃事柰女求作弟子明經智慧皆勝此五百人爾時佛入維耶棃國柰女便率將弟子五百人出迎佛頭面作禮長跪白言願佛明日到我園中飯食佛嘿然受之柰女還歸辦其供具佛進入城國王又出宮迎佛禮畢長跪請佛願明日到宮飲食佛言柰女向已前請王後

之矣王曰我為國王至心請佛必望依許柰女但是
婬女日日將從五百婬弟子行作不軌何為捨我而
應其請爾時世尊即告王曰此女非婬女其宿命有
大功德已供養三億佛昔又曾與須曼女俱為姊妹
柰女最大須曼次之波曇最小生於大姓家財寶饒
富姊妹相率供養五百比丘尼日日施設飲食及作
衣服隨所乏無皆悉供足盡其壽命三人常發誓言
願我後世逢佛得自然化生不由胞胎遠離穢垢今
如本願生值我時又昔雖供養比丘尼然其作豪富
家兒言語憍逸時時或戲笑比丘尼曰諸道人於悒

日久必當欲嫁迫有我等供養撿押不得放恣情意
是故今者受此餘殃雖日讀經行道而虛被誹謗此
五百弟子時亦幷力相助供養同心歡喜今故會生
果復相隨耆域爾時爲貧家作子柰女供養意甚慕
樂而無資財乃常爲比丘尼掃除掃除潔淨已輒發
誓念言令我能掃除天下人身病穢如是快耶柰女
憐其貧窮又加其勤力常呼爲子其比丘尼有疾病
時常使耆域迎醫及合湯藥曰令汝後世與我共獲
是福耆域迎醫所治悉愈乃誓曰願我後世爲大醫
王常治一切人身四大之病所向皆愈皆宿日因緣

今故爲柰女作子皆如本願王聞佛語乃長跪悔過
却期後日佛明日便與諸比丘到柰女園具爲說本
願功德三女聞經開解幷五百弟子同時歡喜出家
修行精勤不解皆得阿羅漢道佛告阿難汝當受持
爲四衆說莫令斷絶一切衆生愼身口意勿生憍慢
放逸柰女往昔時調戲比丘尼故今被婬謗汝當修
行身口意業恒發善願聞者隨喜信樂受持莫生誹
謗墮於地獄餘報畜生經百千劫後報爲人貧窮下
賤不聞正法邪見家生恒値惡王身不具足汝當修
行受持讀誦盡未來際常使不絶爾時阿難從座而

起稽首禮足長跪合掌白佛言世尊此法之要當名何經佛語阿難此經名曰柰女耆域因緣經修行法用如上供養比丘比丘尼施藥迎醫隨喜發誓今獲果報如是受持佛說經已大衆人民天龍八部聞佛所說歡喜奉行

音釋

湩 都勇切乳汁也 瘤 力求切疣贅也 瘥 楚懈切病除也 睚眥 睚牛懈切眥士懈切睚眥瞋目貌 診 止忍切候脈也 睨 刑計切邪視也 劑 才詣切藥劑也 眩 熒絹切瞑眩也

噫 乙界切飽食息也

國史醫言鈔卷之三 佛說柰女耆域因緣經畢

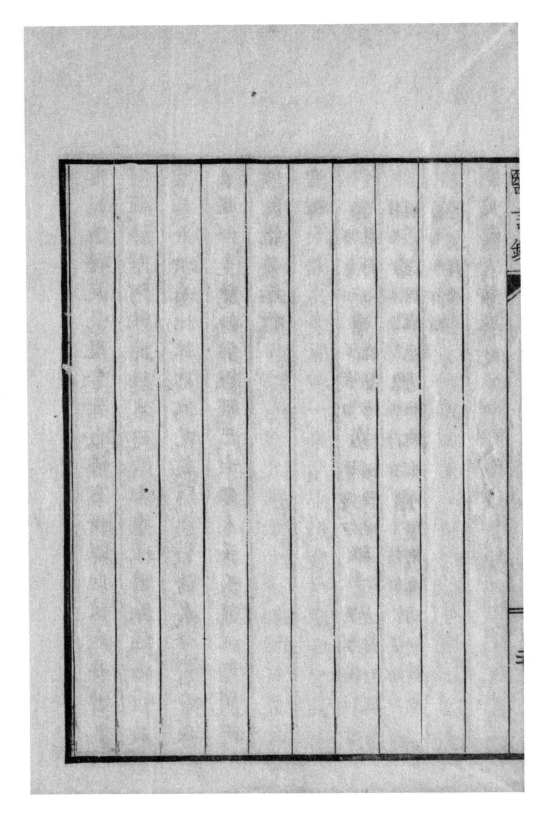

國史醫言鈔
四

國史醫言鈔卷之四 囉嚩拏說救療小兒疾病經

囉嚩拏說救療小兒疾病經 宋西天譯經三藏朝散大夫試光祿卿明教大師法賢奉詔譯

爾時囉嚩拏觀於世間一切小兒從其初生至十二歲並在幼稚癡騃之位神氣未足鬼魅得便有十二曜母鬼遊行世間於晝夜分常伺其便或因眠睡或獨行坐於此之際現作種種差異之相驚怖小兒令其失常嗡取精氣因成疾病遂至殤夭我見是事深所哀愍我今為說十二曜母鬼執魅小兒年月時分所患疾狀及說大明救療之法乃至作法出生祭祀

儀則若復有人聞我所說有疾患者時持明人依於我法而作救療發至誠者定獲輕癒安樂吉祥十二曜母鬼名者所謂摩怛哩難那一蘇難那二哩縛帝三目佉曼尼迦四尾拏鉢五說俱佽六布多曩七輪瑟迦八阿哩也迦九涂婆迦十必鉢冰砌迦十一塞健馱十二

如是等十二曜母鬼執鬼小兒為求祭祀我今各說其執魅相狀若復小兒於初生日初生月初生年被執魅者是摩怛哩那母鬼所執其小兒先患寒熱身體瘦弱漸漸乾枯心神荒亂身常顫掉啼哭不食者

持明人於河岸取土作患小兒像於四方曼拏羅內面西安小兒像復於曼拏羅設種種香華及白食飲食乃至酒肉等復設七座幢然七盞燈復用白芥子野狐糞猫兒糞安息香蛇皮以如是等藥用黃牛酥同和為香燒熏小兒復用蓖麻油麻荊子或用葉及華茇羅樹葉嚩囉迦藥如是五藥以水煎之沐浴小兒即誦大明如持如上曼拏羅中祭食及種種物誦大明曰。

唵引曩謨囉引嚩拏引野一怛賴二合路枳也二合尾捺囉二合鉢拏引野二賀曩嚩日哩二合拏三沒囉二合憾

摩二合難你曩四摩引哩迦二合嚕閉拏五摩引怛哩二合
難那六引嚩囉嚩囉七輸瑟迦二合輸瑟迦二合八抳左抳
左九俱摩引囉岡娑嚩引二合賀引十
如是誦大明加持已出於城外以日中時面東祭摩
怛哩難那母鬼所有祭食香華等物隨處棄擲所患
小兒速得除瘥
復次小兒於初生後第二日第二月第二年得患者
是蘇難那母鬼所執其小兒先患寒熱作荒亂相合
眼不食手足搐搦腹内疼痛吐逆喘息者持明人當
用米粉一斗作病小兒像面西安曼拏羅中復於曼

拏羅設種種上妙香華飲食及酒肉等復用白色幢
四座然燈四盞復用安息香蒜蛇皮白芥子猫兒糞
酥同和爲香燒熏小兒又同前用五藥水沐浴小兒
即誦大明加持如上曼拏羅中祭食及種種物即説
大明曰
唵引曩謨囉引嚩拏引野一怛賴二合路枳也二合尾捺
囉二合引波拏引野二賛捺囉二合賀引娑駄哩尼二入
嚩二合[illegible]多賀娑多引二合野四賀曩賀曩五那賀那賀
六怛哩二合輸[illegible]曩努瑟吒二合屹囉二合賀引七你訖哩二合
多野你訖哩多野八祖沙野祖沙野引賀曩賀曩十

蘇難那捫左捫左十一俱摩引囉岡娑嚩二合引賀引十二

如是誦大明加持己出於城外以戌時面西祭蘇難那母鬼所有祭食香華等物隨處棄之所患小兒速得除瘥

復次小兒於初生後第三日第三月第三年得患者是哩嚩帝母鬼所執其小兒忽然驚悸叫呼啼哭身體疼痛寒熱無恆頭面顫動顧視自身漸漸羸弱不思飲食以至枯瘦者持明人當用種種上味肉食及生肉生魚酒等設紅色幢八座然燈八盞復用尾螺樹葉安息香蛇皮蒜猫兒糞白芥子等用酥同和燒

熏小兒及同前五藥煎以水沐浴小兒即誦大明加持如上曼拏羅中祭食及種種物即說大明曰

唵引曩謨囉引嚩拏引野一捺舍嚩那曩二賛捺囉二合賀引娑引野三鉢囉二合入嚩二合⿰口絲多賀娑多引二合野四賀曩賀曩五那賀那賀六摩哩那二合野摩哩那二合野七努瑟吒二合屹囉二合敵八謨吒野謨吒野娑嚩二合賀引九

如是誦大明加持已出於城外以戌時面向北祭哩嚩帝母鬼所有祭食種種物等隨處棄之所患小兒速得除瘥

復次小兒於初生後第四日第四月第四年得患者是目佉曼尼迦母鬼所執其小兒先患寒熱欬嗽吐逆身顫垂頭啼哭手搔兩目顧視人面不思飲食饒大小便者持明人當於河兩岸取土作病小兒像面西安曼拏羅內復設種種香華及生肉肉食并酒果等又用紅色幢四座然四盞燈復用堄羅子蛇皮猫兒糞牛角虎爪白芥子等同和為香燒熏小兒復用同前五藥水沐浴小兒即誦大明加持如上曼拏羅中祭食及種種物即說大明曰

唵引曩謨一沒囉二合憾摩引二合尾鉢努二合摩吅四濕嚩

二合囉二塞剛二合那虎多引設曩三目佉曼尼迦引四賀
曩賀曩五摩哩那二合野摩哩那二合野六你訖哩二合多
野七你訖哩二合多野八佉引呬佉引呬九婆誐嚩帝
十目佉曼尼迦引娑嚩二合引賀引十一
如是誦大明加持已出於城外用戌時面向南祭目
佉曼尼迦母鬼所有祭食種種物等隨處棄之所患
小兒速得除瘥
復次小兒初生後第五日第五月第五年得患者是
尾拏嚕迦母鬼所執其小兒先患心神恍惚多發瞋
怒寒熱不恆欬嗽吐逆身忽生瘡如水泡相眼視虛

空不思飲食漸漸羸瘦腹陷不現者持明之人當造白食飲食及酒肉等設白色幢五座然燈五盞并種種香華等復用安息香蒜蛇皮猫兒糞白芥子等用酥同和為香燒熏小兒復用同前五藥水沐浴小兒即誦大明加持如上曼拏羅中祭食及種種物即說大明曰

唵引曩謨囉引嚩拏引野一怛賴二合路迦也二合尾捺囉引二合波拏引野二尾拏引嚕迦引尾拏引嚕迦引謨乞叉二合野三謨乞叉二合野四賀曩賀曩五賛捺囉二合賀引細曩六捫左捫左七尾拏引嚕迦引娑嚩二合

引賀八引

如是誦大明加持己出城外於日中時面西祭尾拏

嶮迦母鬼所有祭食種種等物隨處棄之所患小兒

速得除瘥

復次小兒初生後第六日第六月第六年得患者是

設俱侬母鬼所執其小兒先患寒熱或笑或啼身體

顫動而有穢氣不思飲食漸漸羸瘦者持明人用米

粉一斗作病小兒像面西安曼拏羅中復設種種香

華飲食酒肉乃乳粥等復設白色幢四座然燈四盞

復用安息香蒜蛇皮猫兒糞白芥子酥同和爲香燒

熏小兒復用同前五藥水沐浴小兒即誦大明加持如上曼拏羅中祭食及種種物即說大明曰

唵引曩謨婆誐嚩帝一囉引嚩拏引野二朗俱濕嚩二合囉引野三必哩二合多尾捺囉二合鉢拏野四嚩日哩二合拏賀曩賀曩五設俱你捫左捫左六俱摩引囉罔婆嚩引二合賀引七

如是誦大明加持已出於城外於戌時面向南祭設俱你母鬼所有祭食種種物等隨處棄之所患小兒速得除瘥

復次小兒初生後第七日第七月第七年得患者是

布多那毋鬼所執其小兒先患寒熱身體疼痛多大小便常拳二手不思飲食漸漸羸瘦者持明人用吉祥草作病小兒像面西安曼拏羅中復用種種紅色華及造紅色飲食酒肉等復設白色幢八座然燈八盞復用安息香蛇皮屍髮虎爪額摩樹葉猫兒糞白芥子酥同和為香燒熏小兒復用同前五藥水沐浴小兒即誦大明加持如上曼拏羅中祭食及種種物

即說大明曰

唵引曩謨婆誐嚩帝一囉引嚩拏引野二朗俱濕嚩二合囉引野三必哩二合多尾捺囉引二合鉢拏引野四俱

摩引囉吪囉合二賀五你訖哩合二覩六賀曩賀曩七祖
蘭拏合二祖蘭拏合二娑囀合二賀八引
如是誦大明加持已出於城外以戌時面向西方祭
布多那母鬼所有祭食種種物等隨處棄之所患小
兒速得除瘥

復次小兒初生後第八日第八月第八年得患者是
輸瑟迦母鬼所執其小兒先患寒熱作荒亂相身體
疼痛眼不見物垂頭無力身出穢氣不思飲食者時
持明人用米粉一斗作黒羖羊一頭以頭向西安曼
拏羅內復用香華乳粥上味飲食及酒肉等復設白

色幢五座然燈五盞復用安息香娑慈囉娑蛇皮蒜
白芥子猫兒糞酥等同和爲香燒熏小兒復用同前
五藥水沐浴小兒即誦大明加持如上曼拏羅中祭
食及種種物即說大明曰
唵引曩謨囉引嚩拏引野一怛賴合二路迦也合二尾捺
囉引二合鉢拏引野二入嚩合二羅入嚩合二羅三鉢囉合二
入嚩合二羅鉢囉合二入嚩合二羅四賀曩賀曩五吽發吒
半音娑嚩引二合賀引六
如是誦大明加持已出於城外於戌時面向南方祭
輸瑟迦母鬼所有祭食種種物等隨處棄之所患小

兒速得除瘥

復次小兒初生後第九日第九月第九年得患者是阿哩也迦母鬼所執其小兒先患寒熱身顫啼哭徧身疼痛口吐涎沫吐逆不止或垂頭頸或目反視不思飲食者持明人用米粉一斗作白色羖羊一頭用白色香塗羊以頭向西安曼拏羅內復設種種香華上味飲食酒肉等復設白色幢四座然燈四盞復用蛇皮爲香燒熏小兒復用同前五藥水沐浴小兒即誦大明加持如上曼拏羅中祭食及種種物即說大明曰

唵引曩謨朗迦引地鉢多曳一朗𠼝濕嚩二合囉引野

二賀曩賀曩三鉢左鉢左四吽吽五發吒半音娑嚩二合

賀引六

如是誦大明加持已出於城外以戌時面向北方祭

阿哩也迦母鬼所有祭食種種物等隨處棄之所患

小兒速得除瘥

復次小兒初生後第十日第十月第十年得患者是

染婆迦母鬼所執其小兒先患寒熱忍作惡聲吐逆

不止多大小便饒患眼目及患牙齒不思飲食者時

持明人取河兩岸土作小兒像用牛黄塗像面西安

曼拏羅中復設種種香華及上味飲食酒肉等復用安息香雞翅牛角蛇皮人骨猫兒糞白芥子酥同和爲香燒熏小兒復用同前五藥水沐浴小兒即誦大明加持如上曼拏羅中祭食及種種物說大明曰

唵引曩謨婆誐嚩帝一嚩酥你嚩引野二囉摩拏毗摩嚕播野三賀曩賀曩四吽發吒半音娑嚩二合賀引五

如是誦大明加持已出於城外以戌時面向南方祭涤婆迦毋鬼所有祭食種種物等隨處棄之所患小兒速得除瘥

復次小兒初生後第十一日第十一月第十一年得

患者是冰砂迦毋鬼所執其小兒先患寒熱身體顫動指節疼痛啼哭吐逆不思飲食仰視虛空漸漸羸瘦者時持明人當用黑豆粉一斗作患小兒像用赤檀香塗已面西安曼拏羅內後以種種香華飲食及酒肉等布作二十五分設二十五幢然二十五燈復用鴿糞鴿鴿鵄人髮羖羊角猫兒糞白芥子以酥同和為香燒熏小兒復用同前五藥水沐浴小兒即誦大明加持如上曼拏羅中祭食及種種物說大明曰

唵引曩謨婆誐嚩帝一囉嚩拏引野二贊捺囉二合賀引娑二嚩也二合屹囉二合賀娑多二合野四入嚩二合羅入

嚩合二羅五鉢囉合二入嚩合二羅六賀曩賀曩七努瑟吒二合屹哩二合賀娑嚩二合引賀引八

如是誦大明加持已出於城外以戌時面向西方祭冰砌迦毋鬼所有條食種種物等隨處棄之所患小兒速得除瘥

復次小兒初生後第十二日第十二月第十二年得患者是塞健馱毋鬼所執其小兒先患寒熱瞋目視人又如期尅人相搐搦手足及搐腹肚漸漸羸瘦不思飲食者持明人用大麥麨作小兒像面西安曼拏羅內復以種種香華及上味飲食酒肉等并設紅色

幢八座然燈四盞復用牛黄白芥子安息香蒜蛇皮猫兒糞酥等同和爲香燒熏小兒復用同前五藥水沐浴小兒即誦大明加持如上曼拏羅中祭食及種種物即說大明曰

唵引曩謨囉引嚩拏引野一怛哩二合布囉二尾曩引舍曩引野三能瑟吒囉二合引野五賛捺囉二合賀細曩六賀曩賀曩七摩哩那二合摩哩那二合八難尼曩九尾捺囉二合引鉢野十尾捺囉二合鉢野十一塞健二合駄十二把左把左十三倶摩囉岡十四吽吽十五发吒半音发吒半音娑嚩二合引賀引十六

如是誦大明加持已出於城外以戌時從於東方旋
轉四方祭塞健馱毋鬼所有祭食及種種物等隨處
棄之所患小兒速得除瘥爾時羅囉嚩拏說是救療
小兒病經已歡喜而退

音釋

騃 語駭切 癡也　噏 迄及切 與吸同　蓖 必迷切　蓽茇 蓽音必 茇音鉢

醫言鈔 囉嚩拏說救療小兒疾病經畢

醫言鈔 迦葉仙人說醫女人經

迦葉仙人說醫女人經

宋西天譯經三藏朝散大夫試光祿卿明教大師法賢奉詔譯

爾時吩嚩迦仙人忽作是念世間衆生皆從女人而生其身而彼女人從初懷孕至滿十月或復延胎至十二月方始產生或於中間有其病患於病患時極受苦痛我今方便請問於師稟受方藥與作救療作是念已即詣於師迦葉仙人伸師資禮而作問言大師迦葉是大智者我今欲有所問願垂聽許迦葉仙言恣汝所問時吩嚩迦仙人白言女人懷孕期當十

月或十二月日滿方生云何中間有諸病患遂致胎藏轉動不安或有損者苦惱無量我師大智願為宣說救療如是病苦方藥作是問已聽受而住爾時迦葉仙人告吩嚩迦仙言女人懷孕不知保護遂使胎藏得不安穩我今為汝略說隨月保護之藥懷孕之人第一月內胎藏不安者當用栴檀香蓮花優鉢羅華入水同研後入乳汁乳糖同煎溫服此藥能令初懷孕者無諸損惱而得安樂

復次告吩嚩迦仙言女人懷孕於第二月胎藏不安者當用青色優鉢羅華倶母那華根菱角仁羯細嚕

迦等藥諸藥等分擣篩爲末用乳汁煎候冷服之此藥能令胎藏不損疼痛止息晝夜安穩

復次女人懷孕至第三月胎藏不安者當用迦俱嗏藥叱囉迦俱嗏藥及蓖麻根等諸藥等分以水相和研令極細又入乳汁同煎令熟後入乳糖及蜜相和冷服此藥能安胎藏止息疼痛若有患者服之安樂

復次女人懷孕至第四月胎藏不安者當用蒺藜草根并枝葉等優鉢羅華并及莖幹等分用之以水相和研令極細復用乳汁同煎令熟候冷服之此藥能安胎藏止息疼痛患者服之而得安樂

復次女人懐孕至第五月胎藏不安者當用[illegible]子根及優鉢羅華各用等分擣篩令細後入蒲萄汁乳汁乳糖同煎候冷服之此藥能安胎藏止息疼痛患者服之而得安樂

復次女人懐孕至第六月胎藏不安者當用閉阿羅藥子摩地迦羅惹藥薩訖多嚩藥各用等分以水相和研令極細復入乳汁同煎後入乳糖及蜜候冷服之此藥能安胎藏止息疼痛患者服之而得安樂

復次女人懐孕至第七月胎藏不安者當用蒺藜草枝葉并根擣篩爲末用乳糖及蜜爲丸用肉汁服之

復以肉汁粲飯食之或食菉豆粥飯此藥及飯能安胎藏患者服食而得安樂

復次女人懷孕至第八月胎藏不安者當用三鈷識藥蓮華青優鉢羅華蒺藜草各等分以冷水相和研令極細後入乳汁及糖蜜等同煎候冷服之此藥能安胎藏止息疼痛患者服之而得安樂

復次女人懷孕至第九月胎藏不安者當用蓖麻根迦俱嚕藥舍羅鉢被尼藥沒哩賀底藥各等分以冷水相和研令極細入乳汁同煎候冷服之此藥能安胎藏止息疼痛患者服之而得安樂

復次女人懐孕至第十月胎藏不安者當用菉豆優鉢羅華等分以水相和研令極細復入乳糖及蜜并乳汁同煎候冷服之此藥能安胎藏止息疼痛患者服之而得安樂

復次女人懐孕延胎十一月胎藏不安者當用青優鉢羅華娑路剛藥蓮華并莖等分以冷水相和研令極細後入乳汁乳糖同煎候冷服之此藥能安胎藏止息疼痛患者服之而得安樂

復次女人懐孕延至第十二月胎藏不安者當用迦俱嚓藥吒囉迦俱嚓藥苷草優鉢羅華各等分擣篩

令細以水同研後入乳汁相和煎熟候冷服之此藥能安胎藏止息疼痛患者服之而得安樂爾時呤嚩迦仙人聞師說是女人懷孕保養法已歡喜信受作禮而退

醫言鈔 迦葉仙人說醫女人經畢

醫言錄

醫言鈔　佛說療痔病經

佛說療痔病經　唐三藏法師義淨譯

如是我聞一時薄伽梵在王舍大城竹林國中與大苾芻衆五百人俱時有衆多苾芻身患痔病形體羸瘦痛苦縈纏於日夜中極受憂惱時具壽阿難陀見是事已詣世尊所頂禮雙足在一面立白佛言世尊今王舍城多有苾芻身患痔病形體羸瘦痛苦縈纏於日夜中極受憂惱世尊此諸病苦云何救療爾時佛告阿難陀汝可聽此療痔病經讀誦受持繫心勿忘亦於他人廣爲宣說此諸痔病悉得除殄所謂風

痔熱痔癊痔三合痔血痔腹中痔鼻內痔齒痔舌痔
眼痔耳痔頂痔手足痔脊背痔糞門痔徧身支節所
生諸痔如是痔瘻悉皆乾燥墮落消滅必瘥無疑皆
應誦持如是神咒即說咒曰
怛姪他　頞蘭帝　頞藍謎　室利鞞　室里室里
摩羯失質　三婆跋覩　莎訶
阿難陀於此北方有大雪山王中有大娑羅樹名曰
難勝有三種華一者初生二者圓滿三者乾枯猶如
彼華乾燥落時我諸苾芻所患痔病亦復如是勿復
血出亦勿膿流永除苦痛悉皆平復即令乾燥又復

若常誦此經者得宿命住智能憶過去七生之事咒
法成就莎訶又說咒曰
怛姪他　苫謎苫謎　捨苫謎　苫末泥去捨苫泥
莎訶
佛說是經已時具壽阿難陀及諸大衆皆大歡喜信
受奉行

音釋

療痔 療力照切治也痔直里切後病也 瘻郎豆漏病

醫言鈔 佛說療痔病經畢

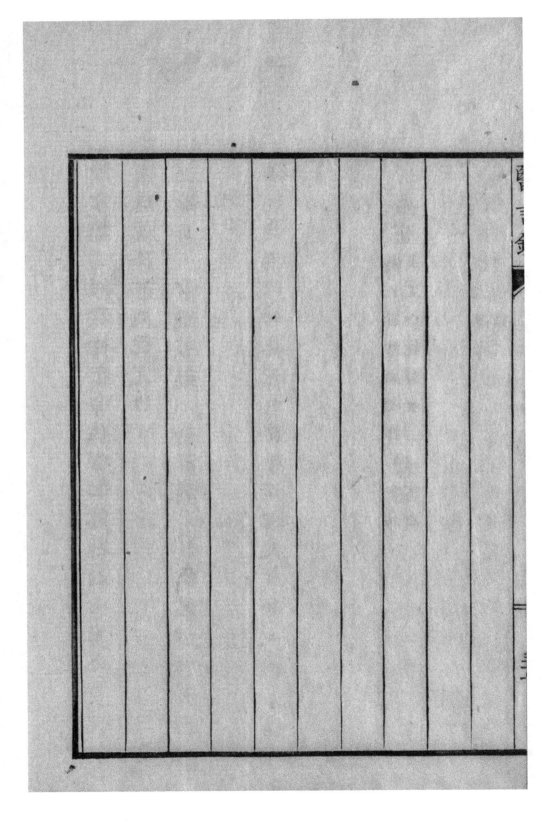

醫言鈔　金光明最勝王經

金光明最勝王經重顯空性品曰

地水火風共成身　隨彼因緣招異果

同在一處相違害　如四毒蛇居一篋

此四大蛇性各異　雖居一處有昇沉

或上或下徧於身　斯等終歸於滅法

於此四種毒蛇中　地水二蛇多沉下

風火二蛇性輕舉　由此乖違衆病生

心識依止於此身　造作種種善惡業

當往人天三惡趣　隨其業力受身形

遺諸疾病身死後　大小便利悉盈流
膿爛蟲蛆不可樂
大辯才天女品曰世尊我當為彼持經法師及餘有情於此經典聽聞者說其呪藥洗浴之法彼人所有惡星災變與初生時星屬相違疫病之苦鬪諍戰陣惡夢鬼神蠱毒厭魅呪術起屍如是諸惡為障難者悉令除滅諸有智者應作如是洗浴之法當取香藥三十二味所謂
跋者此云菖蒲　瞿盧折娜此云牛黃　塞畢力迦健馱此云苜蓿香　莫訶婆伽此云麝香　末捺眵囉此云雄黃　尸利灑此云

合昏樹　因達羅喝悉哆此云白芨　闍莫迦此云芎藭　苫弭
此云枸杞根　室利薛瑟得迦此云松脂　咄者此云桂枝　目窣
哆此云香附子　惡揭嚕此云沉香　栴檀娜此云栴檀　多揭羅
此云零陵香　索瞿者此云丁子　荼矩麼此云鬱金　揭羅娑此云
婆律香　捺刺拕此云葦香　鴝路戰娜此云竹黃　蘇泣迷囉此云
此云細豆蔻　弭哲哆此云茸松　鉢怛羅此云藿香　嗢尸囉此云
茅根香　薩洛計此云叱脂　世黎也此云艾納　窶具攞此云安息
香　薩利殺跛此云芥子　葉波伱此云馬芹　那伽雞薩囉
此云龍華鬚　薩折囉婆此云白膠　矩瑟侘此云青木
皆等分以布灑星日一處擣篩取其香末當以此咒

咒一百八徧咒曰云云

徐病品曰佛告菩提樹神善女天諦聽諦聽善思念之是十千天子本願因緣今爲汝說

善女天過去無量不可思議阿僧企耶劫爾時有佛出現於世名曰寶髻如來。應正偏知。明行足。善逝。世間解。無上士。調御丈夫。天人師。佛世尊。○善女天時彼世尊。般涅槃後正法滅已於像法中有王名曰天自在光常以正法化於人民猶如父母是王國中有一長者名曰持水善解醫方妙通八術衆生病苦四大不調咸能救療善女天爾時持水長者唯有一子名曰流水顏容端正人所樂觀受性聰敏妙閑諸論書畫算印無不通達○時王國內有無量百千諸衆生類皆遇疫疾衆苦所逼乃至無有歡喜之心

善女天爾時長者子流水見是無量百千衆生受諸病苦起大悲心作如是念無量衆生爲諸極苦之所逼迫我父長者雖善醫方妙通八術能療衆病四大增損然已衰邁老耄虛羸要假扶策方能進步不復能往城邑聚落救諸病苦今有無量百千衆生皆遇重病無能救者我今當至大醫父所諮問治病醫方

秘法若得解已當往城邑聚（維通按恐脫落字）之所救諸衆
生種種疾病令於長夜得受安樂　時長者子作是
念已即詣父所稽首禮足合掌恭敬却住一面即以
伽陀請其父曰

慈父當哀愍　我欲救衆生
今請諸醫方　幸願爲我說
云何身衰邁　諸大有增損
復在何時中　能生諸疾病
云何啗飲食　得受於安樂
能使內身中　火勢不衰損

衆生有四病　風黄熱痰癊
及以總集病　云何而療治
何時風病起　何時熱病發
何時動痰癊　何時總集生
時彼長者聞子請已復以伽陀而答之曰
我今依古仙　所有療病法
次第爲汝説　善聽救衆生
三月是春時　三月名爲夏
三月名秋分　三月謂冬時
此據一年中　三三而別説

二二為一節　便成歲六時
初二是華時　三四名熱際
五六名雨際　七八謂秋時
九十是寒時　後二名氷雪
既知如是別　授藥勿令差
當隨此時中　調息於飲食
入腹令消散　衆病則不生
節氣若變改　四大有推移
此時無藥資　必生於病苦
醫人解四時　復知其六節

明開身七界　食藥使無差
謂味界血肉　膏骨及髓腦
病入此中時　知其可療不
病有四種別　謂風熱痰癊
及以總集病　應知發動時
春中痰癊動　夏內風病生
秋時黃熱增　冬節三俱起
春食澁熱辛　夏膩熱鹹醋
秋時冷甜膩　冬酸澁膩甜
於此四時中　服藥及飲食

若依如是味　衆病無由生
食後病由癊　食消時由熱
消後起由風　準時須識病
既識病源已　隨病而設藥
假令患狀殊　先須療其本
風病服油膩　患熱利為良
癊病應變吐　總集須三藥
風熱癊俱有　是名為總集
雖知病起時　應觀其本性
如是觀知已　順時而授藥

飲藥藥無差　斯名善醫者
復應知八術　總攝諸醫方
於此若明閑　可療衆生病
謂針刺傷破　身疾幷鬼神
惡毒及孩童　延年增氣力
先觀彼形色　語言及性行
然後問其夢　知風。熱。癊。殊
乾瘦少頭髮　其心無定住
多語夢飛行　斯人是風性
少年生白髮　多汗及多瞋

聰明夢見火　斯人是熱性
心定身平整　慮審頭津膩
夢見水白物　是瘀性應知
總集性俱有　或二或具三
隨有一偏增　應知是其性
既知本性已　準病而授藥
驗其無死相　方名可救人
諸根倒取境　尊醫人起慢
親友生瞋恚　是死相應知
左眼白色變　舌黑鼻梁欹

耳輪與舊殊　下脣垂向下

訶梨勒一種　具足有六味

能除一切病　無忌藥中王

又三果三辛　諸藥中易得

沙糖蜜酥乳　此能療衆病

自餘諸藥物　隨病可增加

先起慈愍心　莫規於財利

我已爲汝說　療疾中要事

以此救衆生　當獲無邊果

善女天爾時長者子流水親問其父八術之要四大

增損時節不同餌藥方法○既善了知自忖堪能救
療衆病即便徧至城邑聚落所在之處隨有百千萬
億病苦衆生皆至其所善言慰諭作如是語我是醫
人我是醫人善治方藥今爲汝等療治衆病令除差

國史醫言鈔卷之四　金光明最勝王經畢

天保六年閏七月　御免
嘉永五年八月刻成

出雲寺文次郎
近江屋佐太郎
惠比須屋次助
若山屋茂助
皇都　林　芳兵衛
田中屋治助
吉野屋甚助

發行書肆

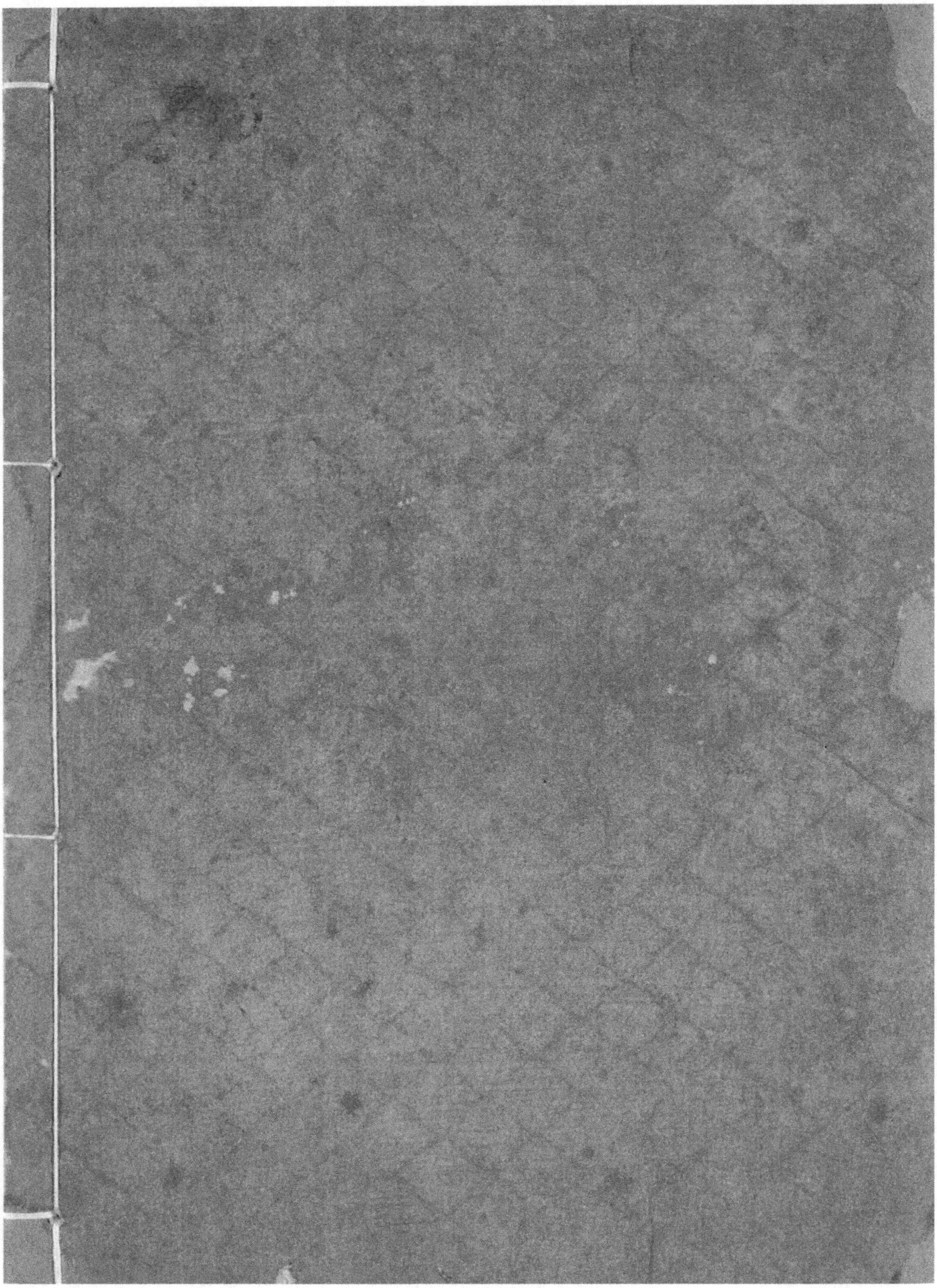